CELSO UNZELTE

CÁSSIO

A TRAJETÓRIA DO MAIOR GOLEIRO DA HISTÓRIA DO CORINTHIANS

SÃO PAULO
2019

Grupo Editorial
UNIVERSO DOS LIVROS

DIRETOR EDITORIAL: Luis Matos
GERENTE EDITORIAL: Marcia Batista
ASSISTENTES EDITORIAIS: Letícia Nakamura e Raquel F. Abranches
PREPARAÇÃO: Ricardo Franzin
REVISÃO: Tássia Carvalho, Juliana Gregolin e Guilherme Summa
REVISÃO TÉCNICA: Marcelo Alexandre Becker
ARTE E CAPA: Valdinei Gomes
IMAGEM DE CAPA: Bruno Santos/Folhapress

Dados Internacionais de Catalogação na Publicação (CIP)
Angélica Ilacqua CRB-8/7057

U56c

Unzelte, Celso Dario, 1968-.

Cássio: a trajetória do maior goleiro da história do Corinthians/ Celso Unzelte. - São Paulo : Universo dos Livros, 2019.
184 p.: il.

ISBN: 978-85-503-0462-5

1. Ramos, Cássio, 1987- Biografia 2. Goleiros de futebol - Biografia 3. Sport Club Corinthians Paulista 4. Futebol I. Título

19-2508 CDD 927.96334

Universo dos Livros Editora Ltda.
Avenida Ordem e Progresso, 157 - 8º andar - Conj. 803
CEP: 01141-030- Barra Funda - São Paulo/SP
Telefone/Fax: (11) 3392-3336
www.universodoslivros.com.br
e-mail: editor@universodoslivros.com.br
Siga-nos no Twitter: @univdoslivros

Wagner Carmo/Gazeta Press

★ SUMÁRIO ★

O MAIOR GOLEIRO DA HISTÓRIA DO CORINTHIANS

DEMOREI MUITO, muito mesmo, até ter a coragem de bancar a afirmação que está escrita aí em cima, e também na capa deste livro, em relação a Cássio Ramos. Principalmente por respeito a Gylmar dos Santos Neves, o primeiro goleiro brasileiro campeão da Copa do Mundo, em 1958, no auge de sua idolatria por parte dos corintianos, que vinha desde o bicampeonato paulista de 1951 e 1952 e a conquista do histórico título estadual de 1954, o ano do IV Centenário da fundação da cidade de São Paulo.

Antes de finalmente bancar essa afirmação, pensei também em Ronaldo Giovanelli. Após dez anos de serviços prestados, entre 1988 e 1998, à frente de defesas nem sempre seguras, ele se despediu com a excelente média de menos de um gol (0,94) sofrido nas 602 partidas que o tornaram o goleiro que mais vezes esteve em campo com a camisa do Timão até hoje.

Lembrei, claro, de Dida. No curto período em que ele defendeu o clube, entre 1999 e 2002, foi campeão mundial, brasileiro, da Copa do Brasil e do Rio-São Paulo. E ainda se notabilizou por defender pênaltis, seis deles nos primeiros dez meses de clube, sendo quatro seguidos e dois inesquecíveis, no mesmo jogo, cobrados pelo ídolo são-paulino Raí (o irmão do Doutor Sócrates) na semifinal do Brasileiro de 1999.

Houve também Tuffy, o "Satanás", que formou, junto com os zagueiros Grané e Del Debbio, o lendário trio do tricampeonato paulista de 1928, 1929 e 1930. Houve Bino, o "Gato Selvagem", que veio do Paraná para segurar as pontas na maior parte do primeiro grande jejum de títulos corintianos, entre 1942 e 1950. Houve Cabeção, que era tão bom que revezava a titularidade com o próprio Gilmar, tanto no gol do Timão quanto no do Brasil, e ainda foi convocado para a Copa de 1954, na Suíça. E como não falar de Ado, tricampeão mundial no México na reserva de Félix, em 1970? Podemos elencar, inclusive, goleiros maiores com outras camisas do que com a do próprio Corinthians, como Leão, Carlos ou Waldir Peres. Em suma, foram exatamente 113 nomes em 109 anos desde a fundação, em 1910. De Felipe Valente Aversa (o primeiro, ainda nos tempos da várzea) a Caíque França (o último a estrear, em 2017). Todos grandes, enormes, só pelo fato de terem defendido as traves corintianas pelo menos uma vez na vida. Mas Cássio se tornou o maior, e este livro explica por quê.

Antes de contestá-lo, as histórias contadas acima somente atestam o tamanho que Cássio Ramos ocupa hoje na história corintiana. Ele é campeão mundial como Gilmar, só que pelo clube, e não há perspectiva de futuramente o trocar por um rival. É dono de uma baixíssima média de 0,78 gol sofrido por partida[1] — a menor, aliás, entre os goleiros que entraram em campo pelo menos 70 vezes, incluindo a de Ronaldo. Como Dida, Cássio tornou-se um exímio defensor de pênaltis, principalmente nos momentos mais decisivos. Se, tecnicamente, não é o melhor, em termos de façanhas Cássio não fica a dever nada a nenhum dos nomes citados aqui.

O que me deu confiança, definitivamente, para bancar de uma vez por todas, e com todas as letras, que Cássio é, sim, o maior goleiro da história do Corinthians foi um texto de Juca Kfouri, uma das minhas referências no jornalismo esportivo, publicado em fevereiro de 2019 no blog que o jornalista mantém no portal UOL. No dia anterior, Cássio havia garantido a classificação corintiana para a segunda fase da Copa Sul-Americana defendendo dois pênaltis na série de cobranças alternadas contra o Racing, na Argentina. Juca aproveitou a deixa para estabelecer diferenças entre ser *o melhor* e ser *o maior.* Dizia, acertadamente, que afirmar que Cássio é o melhor goleiro dos mais de cem anos do Corinthians

1. Como o goleiro ainda está em atividade, as estatísticas deste livro foram calculadas até o dia 3 de novembro de 2019.

permitia "discussões intermináveis" — ele próprio, como eu, tendia a achar que "Gylmar dos Santos Neves ainda foi o melhor". No entanto, por seus grandes feitos (entre eles, a maior de todas as defesas diante de Diego Souza, do Vasco, e a atuação decisiva contra o Chelsea, na final do Mundial de Clubes), Cássio já podia, sim, ser considerado *o maior*. Faço minhas as palavras do Juca.

Essa questão já rondava minha mente quando fui procurado pela Marcia Batista, gerente editorial da Universo dos Livros. Parceira desde 2002 — quando, juntos, trabalhamos na publicação do *Livro de Ouro do Futebol*, pela Ediouro —, ela agora me propunha uma biografia do Cássio. Tarefa que, claro, aceitei na hora. Era a chance de conhecer mais de perto o responsável por alguns dos melhores momentos que já passei ao lado do meu filho Daniel, então um corintianinho de apenas 8 anos, no tobogã do Pacaembu, nas inesquecíveis noites da conquista da Libertadores de 2012.

Nas conversas que se seguiram, pude conhecer um outro Gigante. Um Gigante na vida, que jamais renega suas origens e encontrou forças para se reencontrar no processo que ele mesmo gosta de definir como "conversão". Essa é a história que você encontrará aqui. Se ele, humilde, encerra este livro agradecendo ao Corinthians e aos corintianos, eu também faço questão de acabar este texto dizendo aquilo que tantas vezes senti vontade de dizer: Obrigado, Cássio! Obrigado por tudo!

Celso Unzelte

MINHA VIDA!
CORINTHIANS
MINHA HISTÓRIA
MEU AMOR

Capítulo 1

A MAIOR DE TODAS AS DEFESAS

Pacaembu, 23 de maio de 2012

CORINTHIANS E VASCO duelam por uma vaga na semifinal da Copa Libertadores da América, o principal campeonato sul-americano de clubes. Título que o Timão ainda não tem, verdadeira obsessão para seus cerca de 30 milhões de torcedores. No placar, persiste o 0 a 0, mesmo resultado do primeiro jogo entre as duas equipes, disputado no Rio de Janeiro, em uma noite de quarta-feira como esta, mas na semana anterior. Nesse momento, aos 17 minutos e 40 segundos do segundo tempo, praticamente todos os jogadores corintianos estão no campo de ataque. Tanto que, quando o chute a gol desferido da intermediária pelo lateral direito Alessandro para no vascaíno Diego Souza, não há mais ninguém que possa impedir aquele contra-ataque. Ninguém, além do solitário goleiro corintiano Cássio Ramos, um gaúcho de 24 anos e 1,95 metro de altura.

— Até hoje eu fico pensando: como é que não tinha ninguém mais atrás pra me ajudar? O Tite sempre foi muito chato na questão da organização do time, de não deixar ninguém ficar no mano a mano com o adversário.

Cássio faz apenas sua quarta partida pelo Corinthians, a terceira seguida como titular. Já Diego Souza é um experiente atacante de 26 para 27 anos de idade, com passagens por outros grandes clubes do Brasil (Fluminense, Flamengo, Palmeiras, Grêmio, Atlético Mineiro) e do exterior (como o Benfica, de Portugal). Pela Seleção Brasileira, havia jogado as Eliminatórias para a Copa do Mundo de 2010. Depois que o tiro de Alessandro estoura em seu corpo, ele corre os cerca de 80 metros que o separam das traves adversárias, desde antes do meio do campo, sozinho, com a bola dominada. Não tem como errar.

— Quando o Alessandro chutou, a bola estourou no Diego e eu vi que não tinha mais ninguém. Pensei: "Eu vou sair do gol". Mas, se *tu vai*, não volta. Depois, conversando sobre esse lance com o Ronaldo Giovanelli, ele me falou: "Se fosse eu, na minha época, tinha saído, dado um encontrão no Diego Souza, sido expulso e vida que segue...".

O tempo parece parar no velho estádio do Pacaembu. Durante exatos 6 segundos e 22 centésimos, os 35.974 presentes prendem a respiração.

— Teve torcedor dizendo que aquela arrancada durou uma eternidade. Mas para mim foi muito rápido. Depois, confesso que vi o vídeo no YouTube e parecia uma eternidade, mesmo. Aquele silêncio...

Naquele momento, só se ouve um misto entre a batida acelerada dos corações e a marcação dos instrumentos da Gaviões da Fiel, a principal torcida organizada corintiana: tum, tum, tum... O atacante do Vasco conclui sua caminhada com uma confiança que aparenta ser cada vez maior.

– Quando vi que não dava pra sair, resolvi me posicionar. Fui um pouco pra trás. Olhei os dois lados. Esperei. Esperei até o último instante.

O chute de Diego Souza, um ex-companheiro de Cássio dos tempos de Grêmio, desferido com o pé direito, sai consciente, em direção ao canto esquerdo do goleiro. Antes que possa encontrar as redes, no entanto, a bola é surpreendentemente desviada para escanteio pelas pontas dos dedos da santa mão esquerda de Cássio. A mesma mão que dali em diante passará a ser tantas vezes beijada pelos corintianos nas ruas, em sinal de agradecimento. Essa mesma mão, ampliada no detalhe da foto daquele momento, passaria a enfeitar a parede da casa da família Ramos em Veranópolis, no Rio Grande do Sul, em um dos muitos quadros presenteados ao goleiro que eternizam aquela cena.

— Isso era uma coisa que o Mauri *[Lima, preparador de goleiros do Corinthians na época]* me cobrava muito, sabe? De explorar minha altura, minha envergadura. A gente fazia muito esse trabalho, e até hoje eu faço com o Leandro *[Idalino, preparador de goleiros do Corinthians em 2019]*, trabalho de um contra um, de esperar até o último instante e, quando o cara chutar, *tu explodir* para a bola. Não foi uma coisa do acaso. Foi treinado, a gente treinava diariamente isso. Graças a Deus eu consegui ficar tranquilo e desviei a bola.

A agonia tem fim com uma explosão digna de gol.

**– Eu defendi e explodiu o estádio.
Foi o gol do Cássio ali.**

Torcedores se abraçam emocionados. O lateral esquerdo Fábio Santos, um dos que vinham correndo em desespero na sequência daquele lance já considerado perdido, é o primeiro a abraçá-lo. O lateral direito Alessandro faz questão de agradecer ao goleiro publicamente, já na "roda final", o último encontro dos jogadores após a partida, no vestiário: "Obrigado, Gigante! Passou um filme na minha cabeça...". Alessandro sabia que a história dos fracassos do Corinthians na Libertadores era recheada de vilões que falharam na hora agá — Guinei em 1991, Alexandre Lopes em 1996, Marcelinho em 2000, o lateral Roger em 2003, Coelho em 2006 —, e que a defesa de Cássio o havia salvado de se tornar um deles.

A camisa 10 de Diego Souza, que lhe foi esportivamente dada pelo próprio adversário no final da partida, é guardada por Cássio até hoje como um troféu. Ali, pela primeira vez, ele deu mostras da principal qualidade que em breve faria dele o maior goleiro do Corinthians em todos os tempos: uma inata vocação para aparecer nos momentos decisivos.

Poucos lembram que, na cobrança daquele escanteio, o ex-corintiano Nílton, então a serviço do Vasco, ainda cabeceou a bola no travessão. Daquela noite, ficou na memória o gol da vitória corintiana por 1 a 0, que ainda seria marcado por Paulinho, de cabeça, a apenas dois minutos do final do tempo regulamentar. O placar garantiu a classificação para decidir com o rival Santos a presença na decisão da Libertadores contra o Boca Juniors, da Argentina, título que o Timão enfim ganharia. Ficou, principalmente, a defesa de Cássio no lance contra Diego Souza. A maior não só de sua carreira, ou do Corinthians, mas também uma das principais da história do próprio futebol em todos os tempos.

– Tomei a decisão correta para fazer a defesa da minha vida.

Capítulo 2

DE GURI A GIGANTE

Veranópolis (RS), 6 de junho de 1987

DISTANTE 170 QUILÔMETROS da capital Porto Alegre e com uma população de 26.241 habitantes, conforme estimativa do IBGE em 1º de julho de 2019, a cidade gaúcha de Veranópolis foi fundada por imigrantes italianos em 15 de janeiro de 1898. Nas primeiras décadas de sua existência, ficou mais conhecida como o Berço Nacional da Maçã, por ter sido pioneira no cultivo dessa fruta no Brasil a partir de 1935. Depois, tornou-se a Terra da Longevidade, a partir de uma série de estudos que chegaram a apontá-la como a primeira no país e a terceira no mundo em expectativa de vida média de sua população. Atualmente, porém, nenhum desses fatos é mais relevante para Veranópolis do que ser a terra natal de Cássio Ramos. Foi lá que o maior goleiro do Corinthians e um dos melhores jogadores em atividade no Brasil nasceu, em um sábado, 6 de junho de 1987.

No futebol, até então, o orgulho da cidade era o VEC (Veranópolis Esporte Clube Recreativo e Cultural), talvez o único time do país — e um dos poucos do mundo — que tem cinco cores. É, portanto, "pentacolor", homenageando tanto os clubes que se fundiram para lhe dar origem (Veranense, azul e vermelho, e Dalban, verde e branco) quanto a parte amarela da bandeira do município. Fundado em 1992, logo no ano seguinte o "Timaço do Peito", como a equipe também é conhecida entre seus torcedores, foi campeão da segunda divisão gaúcha e, assim, subiu para a primeira, sob o comando de um técnico hoje famoso, então iniciante na carreira: Adenor Leonardo Bachi, o Tite. Na Primeirona gaúcha, o Veranópolis permaneceu até 2019, quando foi rebaixado.

Cássio costuma ressaltar que, em seus tempos de garoto (ou "guri", como preferem dizer os gaúchos), nunca passou fome. Mas define sua infância como "difícil".

— Difícil pelo fato de ser filho de uma mãe com três crianças pequenas. Minha mãe, cara, eu amo de paixão, fez de tudo, o possível e o impossível pra me dar o melhor. Mas eu vivi na pele o que é, de repente, *tu querer* ter uma coisa e não poder, querer ter uma roupa, querer passear, querer fazer uma coisa e não poder. Coisas assim. Lembro, sim, de infância... "Ah, hoje à tarde vai fazer o quê? Ah, vamos lá tomar um lanche", de eu ter que falar: "Não". Eu tinha que ir trabalhar na lavagem de carro, tinha que tentar ajudar. Mas eu falo com muito orgulho isso, porque o que eu sou hoje vem muito lá do começo da minha infância.

Cássio foi criado pela mãe, Maria de Lourdes Ramos — mais conhecida como Ciana —, empregada doméstica, junto com dois irmãos mais novos: Taís, nascida em 1991, que hoje é sócia do jogador em uma pizzaria; e Eduardo, o Dudu, nascido em 1994, que também chegou a tentar a carreira de goleiro. O pai ele só viria a conhecer depois de famoso, em um episódio que pouco acrescentou à sua vida. Dona Ciana e os filhos moravam primeiro no bairro Renovação, onde Cássio viveu o começo de sua infância, junto com tios e primos, na casa do falecido avô, seu Vítor. Quando Cássio tinha entre 6 e 7 anos, o dono do terreno vendeu a propriedade para a empresa de materiais esportivos DalPonte, onde dona Ciana trabalhava. Assim, todos tiveram que se mudar para o bairro Santa Lúcia, onde passaram a viver em uma humilde casa de madeira, de três cômodos: um quarto com beliche, uma cozinha e uma sala, além de um pequeno banheiro. Cássio tinha que dormir no sofá. E ficava com os pés para fora, por causa da altura desde sempre privilegiada. A pequena casa ficava em uma ribanceira, e para se chegar até ela era preciso ir escorregando pela encosta de um barranco. Na volta, era necessário ser puxado por alguém. Uma situação que só mudou quando Cássio foi campeão mundial pelo Corinthians e a prefeitura resolveu, enfim, abrir uma rua de acesso.

— Quando chovia, a água vinha com força descendo a ladeira da rua e levava tudo. Às vezes a gente tinha que acordar de madrugada pra pegar as enxadas e abrir valas pra lama escoar e não entrar.

A casa humilde foi destruída e duas novas, muito mais confortáveis, foram construídas no terreno. Aliás, são agora três as casas adquiridas por ele para abrigar também irmãos, tios, tias e primos.

— Minha mãe sempre foi muito guerreira e minha família sempre foi muito unida, muito batalhadora. Todo mundo sempre se ajudou e eu acho que o que sou hoje devo muito a eles. Geralmente, quando as pessoas falam em família, falam em pai, mãe, irmãos. Eu falo avó, tias, tios, primos. Todo mundo tentou me ajudar no começo. Quando eu fui para o Grêmio, muitas vezes eu vi minha avó e minhas tias Rosana, Marcia, Rejane e Adriana arrumarem dinheiro para eu pagar a passagem do ônibus e comer alguma coisa. Podem ter faltado coisas materiais, você querer comer uma coisa e não poder, usar uma roupa e não ter... Mas o mais importante, a alegria, a união, sempre foi uma coisa muito grande na minha família. É um dos meus maiores orgulhos.

Entre esses parentes que sempre ajudaram nos momentos mais difíceis, estão os padrinhos de Cássio, João Carlos (que ele chama de tio Guinho) e Maria, irmã da avó do goleiro, Maria Luiza. Além dos primos da mãe, Ninha e Valde: eles moram em um sítio na cidade vizinha de Nova Prata, onde Cássio costumava passar as férias — e, às vezes, temporadas mais extensas, quando a situação apertava.

O nunca tão pequeno Cássio (na escolinha de futebol ele já era chamado de Gigante) passou a infância entre as aulas na Escola

Pública Municipal Joana Aimé, os jogos e treinos no Estádio Antônio David Farina, do Veranópolis, e o lava-rápido do tio materno João Carlos Ramos, o "Kojak", onde trabalhou até os 14 anos para ajudar a mãe nas despesas da casa.

— Com 9, 10 anos, comecei a trabalhar na lavagem de carros com o meu tio Kojak, que sempre foi um pai para mim. Ele que me levava pros jogos, ele que me levava pra todos os lados, ele que foi um dos caras que acreditaram muito em mim. Sempre foi um cara positivo. Muitas vezes as pessoas riam da cara dele, falavam que eu não ia conseguir. Acho que naquela época havia um pouquinho o preconceito de eu vir de uma família pobre. Mas também teve muitas pessoas que me acolheram, que me ajudaram muito, uns amigos de infância que são meus amigos até hoje, como o Rogério, o Cassio, o Gil e o Douglas. Lembro que íamos ver filme na casa do Douglas e os pais dele faziam lanche para todos nós com muito carinho.

A julgar por seu boletim de 1998, quando, aos 11 anos, cursava a quinta série, Cássio podia ser considerado um bom aluno, embora ele próprio não concorde com isso.

– Só queria saber de jogar futebol! Não era tão baderneiro assim, mas fui um aluno nota cinco, seis. Lembro que cheguei a reprovar em dois anos. Se você me perguntar o que eu seria se não fosse jogador de futebol, eu não sei te falar.

De fato, sua melhor nota (9,2) havia sido obtida na quarta série, em Educação Física. A pior, 5,0, em Geografia, foi tirada na própria quinta série. Destaques, ainda, para um 9,1, também em Educação Física, e um 9,0, em Ensino Religioso, ambos na quinta série; um 8,6 e um 8,8, ambos em Educação Artística, na quarta e na quinta séries; e um 8,6 em Matemática, na terceira série. Há fotos de Cássio dançando e tocando violão em apresentações musicais e até fazendo o papel do padre no casamento de uma festa junina escolar.

— Tinha, por exemplo, um fardamento da escola pra comprar na confecção. **E eu nunca tinha o fardamento, minha família não tinha condição de me dar a roupa para ir para a escola.** Eu ficava um pouco sem jeito quando os professores falavam: "Olha, quem quiser comprar a roupa, tem na confecção, eles fazem em tantas vezes...". Mas eu não tinha condição. Tem também a história da foto da minha primeira comunhão. Havia uma livraria, onde ficavam expostas as fotos de todo mundo, até as pessoas irem buscar, e a minha eles colocaram bem na frente. Meus colegas passavam, viam e me falavam: "Olha, sua foto está lá, por que você não vai buscar?". E eu sempre dava uma desculpa, dizia que minha mãe estava trabalhando muito e não tinha tempo pra ir pegar. Mas era porque não tinha condição naquela época, não tinha dinheiro, mesmo.

No futebol, Cássio começou aos 6 anos, como uma das mascotes do Veranópolis campeão da segunda divisão gaúcha de 1993. Seu tio Kojak era o massagista e ambos encontraram pela primeira vez Tite, seu futuro técnico na consagração pelo Corinthians. Além das bolas, Cássio pegava também café para servir aos jogadores e ao seu futuro treinador. Torcedor do Grêmio na infância, ele não esquece a conquista da Copa do Brasil de 2001, também com Tite como técnico e ironicamente com vitória do Grêmio sobre o Corinthians por 3 a 1, no Morumbi. Seu ídolo maior, claro, era Danrlei, o titular do gol gremista durante toda uma década, entre 1993 e 2003.

— Quando eu já estava na base do Grêmio, o Danrlei usava aquela camisa coladinha ao corpo, da marca Kappa. Fui pedir um fardamento pra ele pra disputar um campeonato em Flores da Cunha. Cara, ele me deu o fardamento! Hoje faço jogos beneficentes e ele participa. Ser bem recebido por um ídolo como o Danrlei foi um privilégio. Jogo de futebol, eu assistia a todos que passavam na televisão. O Veranópolis estava na primeira divisão e eu também não perdia um jogo, estava sempre lá no estádio. Ia principalmente para ver o Gilmar Dal Pozzo, que era o goleiro na época. Não adiantava me chamar quando estava passando jogo, eu ficava vidrado na TV.

Foi também o tio Kojak quem levou Cássio para dentro do campo. Mais que isso: deu de presente suas primeiras luvas, compradas em cinco prestações.

— Quando ele me deu aquelas luvas, meu Deus do céu... Eu até dormia com elas!

Àquela altura, Cássio já estava convencido a trocar definitivamente a lateral e a ponta esquerda — posições em que ele, canhoto apenas com os pés e destro com as mãos, começou jogando, ainda muito pequeno — pelo gol. Como sempre foi alto, jogava desde cedo, aos 8, 9 anos, entre os adultos, nas categorias amadoras.

— Sempre fui muito competitivo. Não aceitava perder. Ficava chateado com os meus companheiros, era meio xarope *[risos]*. Jogava muito futsal e não tinha medo. Os caras enchiam o pé e eu me atirava, não estava nem aí. Defendia e os caras perguntavam: "Nossa, mas quantos anos você tem?". Onde me convidavam, eu ia jogar. Nunca tive medo da bola.

Kojak passou, então, não só a liberá-lo do trabalho no lava-rápido como também a levá-lo pessoalmente para fazer testes em clubes profissionais. E Cássio passava em todos. O primeiro foi no Tubarão, da cidade catarinense de mesmo nome, distante mais de seis horas de carro de Veranópolis. A oportunidade apareceu por intermédio do preparador físico Sander, que havia acabado de trocar o Veranópolis pelo Tubarão, e de Neri Conte, técnico e professor da escolinha de futebol particular em que Cássio treinava e cujas aulas pagava lavando carros. Fez o teste, foi aprovado e ficou uns dez dias, mas acabou voltando para Veranópolis. Só não deu certo porque, logo na segunda noite morando no alojamento do clube, Cássio, ainda uma criança de apenas 12 anos, começou a chorar e não parou mais.

– Como eu era grandão, me colocavam pra treinar entre os garotos de 14, 15 anos. Mas eu só tinha tamanho. Da minha idade, não tinha ninguém no alojamento, só eu. Quando fui jogar, os meninos eram todos baixinhos, pequenininhos... e eu, grandão.

Na volta à cidade natal, Evandro, um ex-jogador do Veranópolis, levou Cássio para fazer testes no Juventude, de Caxias do Sul, uma cidade bem mais próxima (a menos de uma hora e meia de casa). O Gigante novamente foi aprovado, mas, dessa vez, não ficou porque o clube não tinha alojamento — e não havia condições de ele ir e voltar todos os dias.

Dois outros amigos do tio Kojak, o ex-jogador Lelo e o dono de posto de gasolina Ivo Perachi, conseguiram que Cássio fizesse mais um teste, dessa vez no núcleo da escolinha do Grêmio em Canoas. Ao encher o tanque do carro que levaria os quatro para uma viagem de 145 quilômetros, iniciada ainda de madrugada, Perachi não quis cobrar: "Vamos levar o garoto pra fazer o teste, depois a gente acerta".

O jogo que serviu de primeiro teste para Cássio no Grêmio foi justamente contra uma escolinha do núcleo do Inter. Naquele seu primeiro Gre-Nal, ele perdeu por 1 a 0, mas foi aprovado. Jogou tão bem que até o pessoal do núcleo do Inter se interessou em levá-lo. Cássio ficaria, então, inicialmente, por mais de uma semana em Porto Alegre, para fazer testes definitivos no próprio Grêmio. Para isso, teve que se hospedar na casa de um casal de primos da mãe, que ele, até ali, havia visto no máximo duas vezes na vida. Carlinhos e Oraide moravam em um conjunto habitacional de um bairro humilde de Porto Alegre. O pai da família estava desempregado e o casal tinha dois filhos, Lucas e Leonardo (que era chamado de Maninho), mas passaram a cuidar de Cássio como se fosse o terceiro. Primeiro, por aquele período de alguns dias; depois, definitivamente, a partir da aprovação do goleiro pelo Grêmio.

Quando chegou ao tricolor gaúcho, Cássio já sabia defender: se chutavam uma bola, ele a agarrava. Mas ainda não tinha técnica, "não tinha nada". Como fazia desde os 10 anos, em Veranópolis, ele continuou se atirando, indo em todas, a ponto de seus próprios companheiros de time brincarem: **"Dá até medo de ver você cair no chão assim. A gente pensa que vai quebrar tudo".**

Uma vez aprovado nos testes, Cássio ficou "sob avaliação", em uma espécie de time B, C, dos infantis do Grêmio, até chegar ao time principal da categoria. Entre quarenta meninos, ele era o sétimo goleiro. Ficou seis meses só treinando. No ano seguinte, foi para o alojamento, o que significava uma pressão extra: ou jogava ou desocupava o espaço, que poderia servir a outro. O titular Marcelo Grohe era uma grande promessa desde o infantil. Cássio só entrava em alguns jogos, quando Grohe estava machucado. Jogava bem, o pessoal ficava feliz, mas acabava voltando para o banco.

Até que, ainda na categoria infantil, houve a disputa de uma Copa Brasil em Londrina, em 2002. Uma epidemia de gripe impediu o titular Grohe de jogar, abrindo espaço para Cássio, que começou a ir bem. Ele foi campeão como goleiro menos vazado e, de quebra, ganhando do Inter na final (1 a 0). Na volta, Cássio já se revezava com Marcelo Grohe. Ninguém mais sabia quem era o titular e quem era o reserva.

Mesmo morando em Porto Alegre, Cássio retornava a Veranópolis sempre que podia. Foi em uma dessas vezes que ganhou a camisa de Danrlei para disputar um campeonato pelo seu time, o Planalto, em Flores da Cunha. Em outra, após alguns meses longe de casa, a mãe notou que ele estava ainda maior. Ganhou, até, entre os jogadores da base do Grêmio, o apelido de Frankenstein (depois abreviado para Frank), que, confessa, detestava, embora hoje afirme "não ligar mais". "Meu Deus, te deram alguma coisa para *tu crescer* desse jeito?", exclamou dona Ciana ao rever o filho. O guri havia se transformado em gigante.

Capítulo 3

ANTES DO TIMÃO

Volta Redonda (RJ), 26 de outubro de 2006

FLUMINENSE E GRÊMIO enfrentam-se pelo Campeonato Brasileiro. O jogo segue empatado por 1 a 1, quando Cássio entra em campo para substituir o titular Galatto, contundido depois de se chocar com o atacante Tuta. São passados, já, 30 minutos da segunda etapa. Cássio, porém, ainda acha tempo para, aos 47, fazer uma ligação direta desde sua área. A bola bate no gramado e encontra o argentino Germán Herrera, livre. O atacante então marca, de cabeça, o gol da vitória gremista por 2 a 1. Aquela foi uma das únicas três partidas (e a mais marcante) de Cássio pelo time profissional do Grêmio. Antes, ele havia sido campeão gaúcho de 2006 como reserva, disputando apenas outros dois jogos, ambos em Porto Alegre: vitórias por 2 a 1 sobre o Santa Cruz, em 12 de fevereiro de 2006, e 2 a 0 sobre o Veranópolis, em 26 de março, também entrando durante o jogo no lugar de Galatto, machucado.

Cássio havia sido promovido aos profissionais do Grêmio aos 18 anos, quando passou a disputar a condição de primeiro reserva com seu contemporâneo Marcelo Grohe, companheiro que o Gigante define como "um cara abençoado, um cara do bem". Nascidos no mesmo ano (1987), eles sempre estiveram juntos, em todas as categorias do clube, até chegarem ao juvenil, quando Grohe subiu um pouco antes para os juniores. Moraram, até, no mesmo apartamento, junto com o meia Carlos Eduardo, que depois jogaria na Europa e no Flamengo.

O Campeonato Brasileiro de 2006 estava chegando ao fim e Cássio só havia jogado aquela partida contra o Fluminense. Na última rodada, o Grêmio enfrentaria o Fortaleza, no Ceará. O campeão já era o São Paulo, por isso, em uma conversa informal, meio que de brincadeira, Galatto, o titular do gol do time àquela altura, sugeriu: "Acho que nesse jogo dá pra botar o Cássio no meu lugar, né?". Nisso, o preparador de goleiros Francisco Cersósimo, o Chiquinho, respondeu: **"É? Vai deixando chance pro Gigante, vai deixando chance que você vai ver o que acontece...".** No fim, o jogo acabou valendo uma disputa pelo vice-campeonato (que o Grêmio perdeu) com o rival Inter. Acabou jogando Galatto, mesmo.

Galatto era um dos heróis da Batalha dos Aflitos, o épico jogo em que o Grêmio decidiu o Campeonato Brasileiro da Série B de 2005 contra o Náutico, no Estádio dos Aflitos, no Recife.

Aos 27 minutos do segundo tempo, com o placar ainda em branco, o time gaúcho teve um pênalti contra si, além de quatro jogadores expulsos na onda de reclamações que se seguiu à marcação do árbitro: Escalona, Patrício, Domingos e Nunes receberam os cartões vermelhos. Mas Galatto defendeu a cobrança de Ademar, do Náutico. No contra-ataque, mesmo com apenas sete homens em campo, o Grêmio conseguiu fazer o gol da vitória com Anderson, garantindo uma volta àquela altura quase impossível para a Série A do Campeonato Brasileiro em 2006. Dali em diante, a titularidade de Galatto passou a ser incontestável.

Também por isso, em seus tempos de Grêmio Cássio só ficava feliz, mesmo, quando tinha a oportunidade de voltar para Veranópolis, visitar a família e jogar bola na frente de sua velha casa junto com Dudu, o irmão mais novo. Naquele começo de carreira ele ainda ganhava muito pouco e sua mãe continuava a passar por dificuldades financeiras. Queria ir embora de vez para sua terra natal, mas uma conversa por telefone com o tio Kojak, segundo o próprio Cássio, serviu para ele finalmente "colocar a cabeça no lugar". **"Se quiser voltar, vem", teria dito o tio. "Mas a vida aqui é acordar às cinco horas para trabalhar no lava-rápido." Por isso, acabou ficando em Porto Alegre.**

Foi a partir dali, ainda segundo as palavras de Cássio, que sua carreira começou a "deslanchar", embora não no Grêmio. Se pouco conseguia jogar pelo clube, era frequentemente convocado para a Seleção Brasileira sub-20, a ponto de, àquela altura, ser mais conhecido por conta das atuações com a camisa verde-amarela do que com a do tricolor gaúcho. Toda a sorte que, até então, ele ainda não encontrara no clube, sobrava-lhe na Seleção. Por exemplo: para o Campeonato Sul-Americano Sub-20 de 2007, disputado no Paraguai, Cássio inicialmente nem seria convocado. Mas Marcelo Grohe, seu eterno companheiro de Grêmio, se machucou. O reserva imediato, Felipe, então no Santos, foi pego no exame antidoping, e Muriel, do Internacional, que seria a terceira opção, contundiu-se durante a própria competição. Resultado: de quarto na lista, Cássio não só acabou titular como campeão daquele torneio, que garantiu a classificação do futebol do Brasil para os Jogos Olímpicos de Pequim em 2008. A estrela do Gigante começava a brilhar, e dali em diante jamais o abandonaria.

– Quando o cavalo passa encilhado a gente tem que montar. As pessoas podem chamar de sorte, mas não é só isso. É insistência, é trabalho, é estar preparado, estar sempre bem, bem, bem, para quando a chance aparecer você agarrar. Nisso, um cara que me ajudou muito foi o Chiquinho, do Grêmio, que depois foi para o Atlético-MG. Ele me ajudou muito, assim como todos os outros preparadores de goleiros com quem trabalhei. Eu tinha problema de peso e o Chiquinho me botava pra correr quarenta, cinquenta minutos. Ele me xingava muito, mas foi um cara que, quando eu saí do alojamento do Grêmio, brigou pra eu ganhar um pouquinho a mais pra poder morar em um apartamento.

Ainda no Grêmio, Cássio resolveu seguir o conselho de jogadores mais experientes, como os meio-campistas Lucas Leiva e Tcheco, que sempre lhe diziam: "Goleiro tem que se posicionar, tem que falar, tem que orientar". Envergonhado por natureza, ele então começou a falar, falar muito, enquanto jogava. As pessoas que o conheciam não acreditavam que aquele em campo, falando e gesticulando tanto, era o mesmo Cássio que, fora dali, mal abria a boca. Depois de se tornar campeão pelas categorias de base da Seleção Brasileira, Cássio passou a ser procurado por vários empresários. Àquela altura, tinha apenas um contrato de procuração de cinco anos que acabou rescindido. Até hoje é empresariado por Carlos Leite, que se mostraria fundamental na sua saída da Holanda e na chegada ao Corinthians. Nesse meio-tempo, um episódio acabou aproximando-o daquela que considera uma das suas "três mães", ao lado de dona Ciana e da avó, Maria Luiza: a advogada Mariju Maciel.

Antes de Cássio acertar com Carlos Leite, um outro grande empresário que o assediava mandou uma advogada verificar seu contrato com o Grêmio. Famosa por conseguir tirar jogadores dos clubes de graça, ela descobriu que, na época, o Grêmio havia cometido um equívoco no contrato. A advogada achava que, com base nisso, conseguiria tirá-lo do Grêmio sem compensações financeiras, como já havia conseguido fazer com outros jogadores de outros clubes. Carlos Leite, que já conhecia Cássio, sugeriu que, independentemente de eles virem a trabalhar juntos ou não, o goleiro consultasse uma outra advogada, de Porto Alegre, sobre esse caso. Essa advogada era Mariju.

— Ela começou a me ligar e eu, que era meio "do mato", não atendia de jeito nenhum. Quando finalmente conseguimos nos falar, expliquei para ela que teria uma reunião no Grêmio e não gostaria de ir sozinho. Ela, então, questionou qual era o meu sentimento pelo Grêmio. Respondi que era de gratidão, pois comecei no clube. Então decidimos que sairia pela porta da frente. Foi o que fizemos e aí começou a nossa relação.

Para Cássio, Mariju é o tipo de pessoa que sempre tenta falar a verdade, independentemente de isso agradar ou não. Já telefonou muitas vezes xingando-o. "Coisa de mãe pra filho." Cássio diz ter muito respeito por ela, "um carinho enorme", por sempre ter sido muito franca, muito verdadeira. Já brigaram muitas vezes e, muitas vezes também, ele pediu desculpas a ela. Até hoje conversam praticamente todos os dias e sobre todos os assuntos, não só os profissionais, que ficam quase todos nas mãos dela.

Em março de 2007, Cássio chegou pela primeira vez à Seleção Brasileira principal, convocado pelo então técnico Dunga para substituir o machucado Helton, do Porto, de Portugal, na lista de convocados para os amistosos contra Chile e Gana, ambos na Suécia. "A convocação do Cássio faz parte do planejamento traçado pela comissão técnica de observar jogadores que possam ser aproveitados na seleção olímpica", justificou Dunga à época.

"Infelizmente foi em um momento de lesão de outro jogador, mas será importante."

Naquele ano, Cássio disputou também o Mundial Sub-20, no Canadá, como titular. O Brasil acabou eliminado pela Espanha nas oitavas de final, mas foi aquela passagem pela seleção de base que ajudou Cássio a carimbar seu passaporte rumo à Europa. Mais especificamente para o PSV Eindhoven, da Holanda, onde jogou entre 2007 e 2011. Durante o "exílio", como bom fã das bandas de rock Linkin Park, AC/DC e Foo Fighters que era, deixou crescer de vez a já vasta cabeleira, passando a segurá-la com a faixa que até hoje é sua marca registrada.

— Eu já tinha os cabelos um pouco compridos, mas foi lá que deixei que crescessem um pouco mais. No Grêmio, o Chiquinho, meu preparador, sempre foi bem generalzão. Ele dizia: "Corta esse cabelo aí, bota a camisa dentro do calção". Na Holanda, comecei a colocar a faixa na cabeça e vi que ninguém falava nada, porque lá é um lugar bem mais liberal. Uma vez, quando eu ainda estava no juvenil do Grêmio, fomos disputar um campeonato em Santiago, no Rio Grande do Sul, e um torcedor da cidade previu: "*Tu vai* ser um grande goleiro no futuro e uma das marcas que as pessoas vão ver é esse seu cabelo".

Na Holanda, Cássio fez também a primeira de suas muitas tatuagens — de um samurai, no antebraço direito — e jogou com outro roqueiro, Fagner, futuro companheiro também no Corinthians.

Cássio continuou sendo campeão (holandês e da Supercopa da Holanda em 2008), porém entrando pouquíssimas vezes em campo. Mais precisamente, em apenas 32 partidas oficiais nos quatro anos e meio de contrato, 13 delas por empréstimo ao também holandês Sparta Rotterdam, em 2009.

– Tive poucas oportunidades, mas quando entrei fui bem. No PSV, fui campeão duas vezes com o time B no Campeonato Holandês e uma vez na Copa, quando peguei pênaltis na final. No Sparta de Roterdã, o time mais velho da Holanda, foi bom: aí eu joguei, fui bastante elogiado. Era um time que brigava pra não cair, mas ganhamos de 4 a 0 do Ajax, onde jogavam o Suárez e o Oleguer e o treinador era o Van Basten.

Quando perguntado por que não deu tão certo como esperava em sua passagem pela Europa, Cássio aponta principalmente dois fatores:

- Muito jovem, talvez pudesse ter se "dedicado mais". Certa vez, por exemplo, não pôde treinar porque chegou cinco minutos atrasado.
- O respeito que os europeus em geral, e os holandeses em particular, têm por jogadores mais velhos, como era o caso do goleiro sueco Andreas Isaksson, para quem Cássio esquentava o banco de reservas, usando a camisa número 31.

Dona Ciana conta que, na Europa, o filho andava "muito desanimado". Um dia, por telefone, chegou a dizer mais uma vez que tinha vontade de largar tudo. Mas, depois de nova conversa, concordou em insistir na carreira. Afinal, o melhor ainda estava por vir.

Capítulo 4

ENFIM, O CORINTHIANS

Nova Prata (RS), 4 de dezembro de 2011

NEM A MÃE DELE, DONA CIANA, sabia. Mas, naquele domingo, Cássio tinha algo muito importante para dizer à família. Voltavam todos de um churrasco em um camping na Fazenda da Pratinha, em Nova Prata, perto de Veranópolis e próximo também do pequeno sítio onde moravam os primos Ninha e Valde — e onde Cássio costumava passar as férias desde a infância. O carro da frente, dirigido por um primo, atolou na estrada de terra, e Cássio, que vinha em um outro carro, atrás, também teve que parar. Enquanto todos esperavam, juntos, pelo socorro mecânico, o tio Guinho, padrinho de Cássio, comentou que naquela tarde o Corinthians havia acabado de ser campeão brasileiro, ao empatar com o Palmeiras por 0 a 0 no Pacaembu. O Gigante, então, aproveitou a deixa para revelar a todos o segredo que o atormentava fazia meses: "Então tá, essa é só pra vocês: eu vou pro Corinthians".

Tratava-se do fim de uma longa espera. Até mesmo das pessoas mais próximas, como a própria mãe, que haviam organizado um bolão para saber onde Cássio jogaria em 2012. "Foi ruim ter escondido dessas pessoas que me ajudaram tanto na vida, mas foi necessário. Foi difícil, eu não queria ter feito isso com gente tão importante para mim", contou ele, em tom de lamentação, na primeira entrevista dada em sua volta ao Brasil, para o jornalista Rodrigo Vessoni, publicada no *Diário Lance!* de 10 de dezembro de 2011. Mas não poderia ter sido diferente: uma cláusula no pré-contrato assinado com o Corinthians desde meados de setembro rezava que, se a informação vazasse, estaria tudo cancelado.

– Não falei nem pra minha mãe, eu guardei a sete chaves. Afinal, fiquei com medo, vai que... Não medo de falar, porque eu acho que eles ficariam muito felizes, mas e se comentassem com alguém sem querer? É assim que começam os vazamentos...

A saída de Cássio da Holanda para o Corinthians foi uma verdadeira novela. No final da temporada europeia de 2011 (meio daquele ano no Brasil), ele já havia sido informado pelo PSV de que o técnico não pretendia aproveitá-lo. Pior: enquanto não aparecesse outro clube, Cássio seria "rebaixado" e treinaria no time B. Somente depois que a janela de transferências para a Europa fechou, o

PSV concordou em liberá-lo de graça. "Mas agora?", pensou ele. "Agora eu vou pra onde?"

Cássio, então, pediu uma semana de licença para vir ao Brasil e conversar com seu empresário, Carlos Leite, a quem já havia exposto a situação por telefone. Essa conversa aconteceu no Rio, e em seguida Cássio foi para Veranópolis, onde ficou aguardando novidades. Alguns dias depois, Carlos Leite retornou dizendo que havia um time interessado, uma coisa bem encaminhada, mas não deu o nome. Só diria quando estivesse tudo certo.

De volta à Holanda, Cássio recebeu um emissário de Carlos Leite, chamado Pedro Braga, para apresentar a situação ao PSV. O clube holandês, que até então se propunha a liberá-lo de graça, resolveu mudar de ideia. Os holandeses, agora, não só queriam uma porcentagem no negócio como se recusavam a continuar pagando o salário do goleiro até o final de 2011. O impasse só foi resolvido após várias reuniões. Os holandeses acabaram ficando com 10% do valor da transferência. Tudo foi colocado no papel e devidamente assinado.

Depois de mais de quatro anos, Cássio se preparava para voltar ao Brasil. Rescindiu o contrato com o PSV e fez a mudança dos seus pertences utilizando vários contêineres, mas nem ele sabia, ainda, onde ia jogar. Aquela "agonia", como o próprio goleiro define, se arrastou por mais algumas semanas. Ele estava em um aeroporto em Portugal, de onde, no dia seguinte, iria para Porto Alegre, quando Carlos Leite ligou. Foi pelo telefone que o empresário revelou: "Olha, o clube que *tu vai* é o Corinthians.

Vou assinar um contrato de quatro anos". Era muito mais do que Cássio esperava.

Liberado do PSV Eindhoven desde setembro, no dia 28 daquele mês, em uma entrevista de despedida para a TV oficial do clube holandês, Cássio contou que já tinha destino certo no Brasil, mas não poderia revelá-lo ainda. Não tão antes do fim do Campeonato Brasileiro. Já em novembro assinou um pré-contrato com o Corinthians. Ele conta que, quando soube do interesse real do Timão, não teve a menor dúvida em fazer de tudo para sair, "forçar a barra" mesmo. Até porque, antes, já haviam aparecido outros clubes interessados nele, e os holandeses sempre dificultaram a negociação. Foi assim, por exemplo, em 2009, quando o Vasco tentou, sem sucesso, repatriá-lo para a disputa do Brasileiro da Série B. Dessa vez, sua contratação acabou definida pelo então presidente corintiano, Andrés Sanchez, diretamente com seu empresário, Carlos Leite. Sem consultar ninguém da comissão técnica. "Tínhamos entrado em férias", lembra o então preparador de goleiros do Corinthians, Mauri Lima. **"Quando a gente voltou, ele tinha sido contratado.** Acredito que o Cássio tenha sido visto por aquilo que fez nas categorias de base da Seleção. Não chegou a jogar no Grêmio, mas para poder sair, ter ido para fora, você tem que ter alguma qualidade. Às vezes, o clube procura saber se você quer ou não um jogador — como foi, depois, quando eu mesmo indiquei o Walter, porque o Edu Gaspar *[gerente de futebol do Corinthians]* procurou saber de mim e do Tite se tínhamos ou não a intenção de trazer um goleiro, já que eles não iriam renovar contrato com o Júlio César e o Danilo Fernandes. Mas às vezes você não tem esse limite para falar alguma coisa ou não. Foi o que aconteceu nesse caso do Cássio: às vezes, você é consultado; às vezes, não é consultado."

Dois dias após o anúncio de Cássio a seus familiares, o presidente do Corinthians deu a primeira declaração pública sobre o assunto, ainda sem confirmar a contratação, mas também sem negá-la: "Pode ser que venha um goleiro". Cássio chegou ao Parque São Jorge junto com o meia Vítor Júnior (ex-Atlético-GO), o zagueiro Felipe (ex-Bragantino) e o atacante Bill, de volta de um empréstimo ao Coritiba. De todos, foi ele quem marcou seu nome com mais força na história alvinegra.

Ele fez questão de estar no Brasil bem antes de 4 de janeiro de 2012, a data marcada para a apresentação em seu novo clube. Ainda em novembro, ele já estava treinando por conta própria, em Veranópolis. Queria estar bem e se adaptar rapidamente à cidade de São Paulo, com a qual, em um primeiro momento, se confessou "assustado", principalmente em relação ao trânsito. Era tudo muito grande em comparação com os apenas 350 mil habitantes de Eindhoven.

— Tinha muito medo de me perder porque, pra mim, as ruas eram todas iguais. Hoje a gente tem Waze, essas coisas, mas antigamente não. Eu ficava com um pouco de receio quando cheguei.

Cássio também sabia que precisava treinar logo com um preparador de goleiros daqui, pois os treinos na Europa eram muito diferentes. Lá, treinava-se apenas uma vez ao dia, por pelo menos duas horas. Além disso, o trabalho no PSV era mais voltado ao jogo com os pés, algo muito cobrado dos goleiros ao longo dos jogos. Por tudo isso — e também porque voltou ao Brasil com sete quilos acima de seu peso ideal —, Cássio resolveu iniciar uma pré-temporada extraoficial, por conta própria, ainda em Veranópolis. Primeiro esteve em um spa, o Kur, em Gramado (RS), considerado um dos dez melhores do mundo, onde ficou durante sete dias e perdeu cinco quilos.

– Até lá dentro do spa me perguntavam para que time eu iria *[risos]*, mas ainda não podia dizer. A primeira coisa que eu fiz depois que saí de lá... foi um churrasco!

Em seguida, Cássio procurou o preparador de goleiros Édson Girardi, do Veranópolis, que, junto com o ex-goleiro Luís Müller, o ajudou a manter a forma em treinamentos no clube durante os meses de novembro e dezembro de 2011. "Ele me disse que na Holanda fazia pouco trabalho específico e pediu ajuda", lembra Girardi. "É um profissional fora de série. Queria perder peso e treinava até de domingo. Logo eu disse que ele tinha condição de jogar em um clube grande. Aí, ele me revelou o acerto com o Corinthians. Tudo o que está acontecendo com ele é merecido. Sempre teve força de vontade."

— O Girardi me deixou muito bem. A estrutura do Veranópolis era bem precária, mas os caras me ajudaram muito. Lembro que eu me machuquei, tive uma bursite, mas mesmo assim continuei treinando. O técnico Gilmar Dal Pozzo, os jogadores do Veranópolis, todo mundo treinava junto comigo, me desejando sucesso.

Apesar das boas atuações do titular Júlio César ao longo da campanha do título brasileiro de 2011, já se esperava que o Corinthians contratasse um novo goleiro em 2012. O nome mais cotado, porém, era o de Jefferson, que estava no auge naquele momento no Botafogo. Falava-se também em Fábio, do Cruzeiro, e em Diego Cavalieri, do Fluminense. Quando veio Cássio, um desconhecido da Holanda, ninguém deu bola. Ninguém. Alguns até criticaram sua contratação, antes mesmo que ele entrasse em campo.

– Eu fiquei bastante chateado com algumas críticas. Porque eu era novo também, era um menino, inexperiente de tudo. Não tinha noção de como era o Corinthians, da pressão que havia em um clube tão grande.

Apesar de tentar fugir de todos que passaram a procurá-lo quando a notícia da contratação vazou, Cássio concedeu aquela primeira entrevista a Vessoni, por telefone, desde Veranópolis. Nela, ele se apresentava à Fiel com uma rápida autodefinição: "Eu sou muito tranquilo dentro de campo, gosto de orientar os zagueiros. Por ser alto, tenho facilidade de sair nas bolas aéreas. Mas tenho que treinar todos os dias com afinco para me aprimorar. Posso prometer vontade, dedicação e esforço para corresponder. Quero ajudar". Suas primeiras impressões sobre a estrutura do Corinthians foram positivas, a ponto de defini-la como "fantástica". **"Nem na Europa eu vi algo parecido. Até hotel eles estão construindo, isso lá na Holanda não existe. A estrutura que eu vi não deixa nada a desejar para os clubes de lá", disse. "Eu sei que estarei em uma equipe em que a pressão é grande, mas que sempre briga pelos títulos. Isso dá um ânimo a mais."**

Cássio chegou falando, ainda, da competição que o consagraria, a Libertadores, de uma maneira que hoje soa premonitória: "Eu acho que a pressão será grande, mas o time é competitivo, pode chegar". Analisou também a torcida corintiana: "O que mais me chamou a atenção quando eu estive com o Grêmio no Pacaembu foi a paciência. Na época, o Corinthians não estava bem. Mas a torcida não vaiou em nenhum momento. Isso é muito legal, dá ainda mais motivação. Como dizem, é um bando de loucos mesmo, mas loucos que só ajudam". Sobre a disputa pela posição, foi direto: "Vim com a intenção de ser titular. Sei que o Júlio vem jogando há um tempo, mas a disputa será leal".

De fato, quando Cássio chegou ao Corinthians, o goleiro titular era Júlio César. Então com 27 anos (e cerca de 10 centímetros mais baixo que o Gigante), Júlio chegaria a ser o jogador mais vezes campeão em toda a história corintiana, com nove títulos oficiais, marca posteriormente alcançada pelo próprio Cássio. Porém, ao contrário dele, em quatro dessas campanhas Júlio César não entrou em campo nenhuma vez: no Paulista e na Copa do Brasil de 2009, no

Mundial de Clubes de 2012 e na Recopa Sul-Americana de 2013. Nas duas últimas, Júlio César seria reserva do próprio Cássio.

Naquele início de 2012, o substituto imediato de Júlio César ainda era Danilo Fernandes, de 23 anos. Somente algum tempo depois Danilo teria a oportunidade de mostrar todo o seu valor, primeiro no Sport-PE, em 2015, depois no Internacional-RS, a partir de 2016. De início, portanto, Cássio chegava ao Corinthians para ser apenas a terceira opção para o gol, ocupando o lugar de testes que antes havia sido do jovem Renan, de 21 anos, recentemente liberado por empréstimo para o Vitória-BA.

Galgar posições até a titularidade não seria nada fácil. Apenas um ano antes da chegada de Cássio ao Parque São Jorge, o goleiro Aldo Bobadilla havia deixado o Corinthians sem ter atuado em uma única partida nos seis meses em que esteve por lá. E olha que Bobadilla havia sido contratado para suprir a ausência do então titular, Felipe, que, brigado com o presidente Andrés Sanchez, tinha ido para o Flamengo. Apesar das duas Copas do Mundo e das várias disputas de Libertadores que trazia no currículo, o experiente paraguaio de 34 anos não teve nenhuma chance de mostrar se poderia ser útil. Também para Cássio essa primeira oportunidade demorou um pouco a aparecer. Mas acabou vindo, depois de quase três meses.

Na noite de 28 de março de 2012, uma quarta-feira, o Corinthians enfrentou o XV de Piracicaba no Pacaembu, pelo Campeonato Paulista, competição que disputava paralelamente à tão sonhada Libertadores. Por isso, o goleiro Júlio César foi poupado daquela partida, assim como outros seis titulares, nem sequer relacionados: o zagueiro Chicão, o lateral esquerdo Fábio Santos, o volante Paulinho, o meia Danilo e os atacantes Jorge Henrique e Liedson. O primeiro reserva para o gol, Danilo Fernandes, já havia sido testado e aprovado em três partidas anteriores, todas também pelo Paulistão, ganhando assim a confiança da comissão técnica. Por que, então, não dar uma chance para aquele goleiro alto e cabeludo, que tinha começado no Grêmio e vinha do futebol holandês? Foi nisso que Tite pensou ao escalar Cássio pela primeira vez em um jogo do Corinthians. E não se arrependeu.

A vitória por 1 a 0, com um gol de Ramón marcado logo no primeiro minuto do segundo tempo, valeu a liderança do Campeonato Paulista àquele remendado time do Corinthians, que na ocasião jogou com Cássio, Alessandro (depois Weldinho), Marquinhos, Leandro Castán e Ramón; Ralf, *Cachito* Ramírez e Douglas (depois Willian); Gilsinho (depois Edenílson), Emerson Sheik e Élton. Cássio saiu de campo sem sofrer nenhum gol, algo que se repetiria em 195 de seus primeiros 444 jogos com a camisa corintiana, o equivalente a 43,9% do total. Naquela noite, ele mostrou segurança nas poucas bolas que chegaram ao gol e fez o primeiro de seus milagres, uma bela defesa dupla no último lance do jogo, salvando aquele que seria o gol de empate do XV de Piracicaba. Primeiro, após a cobrança do escanteio, espalmou uma cabeçada à queima-roupa de Diego Borges. No rebote, arrojou-se aos pés do centroavante Adílson, tirando a bola em cima da linha. O bandeirinha anulou esse segundo lance, acusando impedimento. Mas o caminho para a consagração de Cássio já estava aberto.

Capítulo 5

★ ★ ★ ★ ★

A HORA E A VEZ DE CÁSSIO

CT do Corinthians, 26 de abril de 2012

"MAURI, O QUE É QUE A GENTE VAI FAZER?" Era quinta-feira, e com essas palavras o técnico Tite iniciava, em sua sala no Centro de Treinamento do Corinthians, a conversa para a qual havia chamado o preparador de goleiros Mauri Lima. Na segunda, o time embarcaria para Quito, no Equador, onde na quarta enfrentaria o Emelec, pelo jogo de ida das oitavas de final da Libertadores de 2012.

A pergunta fazia todo o sentido. No domingo, o Timão havia sido precocemente eliminado do Campeonato Paulista, ainda nas quartas de final, disputadas em jogo único, no Pacaembu. Derrota para a Ponte Preta pelo placar de 3 a 2. No lance do primeiro gol adversário, o goleiro corintiano, Júlio César, aceitou uma cobrança de falta rasteira, de longe, do zagueiro Willian Magrão, praticamente ajudando a bola a entrar ao espalmá-la para dentro. No segundo gol adversário, até que o goleiro não teve culpa, só não conseguiu alcançar o tiro cruzado do atacante Roger. Mas, no terceiro, aos 44 minutos do segundo tempo, Júlio César voltou a falhar. Quando sua equipe buscava desesperadamente o empate, ele cobrou um tiro de meta e chutou nas costas do companheiro Leandro Castán. Na sequência, a bola sobrou para Rodrigo Pimpão, que marcou outro para a Ponte. O Corinthians ainda descontaria para 3 a 2, com Alex, mas estava irremediavelmente fora do Campeonato Paulista. E Júlio César, irremediavelmente fora do time titular.

A decisão havia sido anunciada já naquela quinta-feira, mas quem jogaria no lugar de Júlio César? Essa era a dúvida que Tite partilhava com Mauri naquele momento. "Bota o Cássio", respondeu o preparador de goleiros, sem titubear. **"Pode botar, professor. A responsabilidade é minha, pode botar pra jogar."** Para convencer o técnico de vez, o experiente preparador — ele próprio um ex-goleiro de Goiás, Náutico, Mogi-Mirim e Inter de Limeira entre as décadas de 1980 e 1990 — recorreu ao histórico de Cássio naqueles primeiros quatro meses de Corinthians.

Ele, de fato, não havia chegado bem ao clube, principalmente em termos físicos. Estava ainda acima do peso e com um percentual de gordura alto. Preparador e goleiro, então, começaram um trabalho à parte, correndo contra o tempo. Afinal, para se desenvolver melhor, alguém tão alto, com 1,95 metro, precisa sempre estar aprimorando quesitos como velocidade e agilidade. Para isso, os dois passaram a trabalhar em horários extras. Estavam juntos todos os dias. Mesmo em dia de jogo, às vezes até no domingo pela manhã, eles se encontravam para treinar. "E ele gostava muito, sempre gostou de treinar", testemunha Mauri.

– Eu lembro que, às vezes, o time tinha viajado e eu não estava relacionado. Então, treinava à tarde, de quarta-feira, por exemplo. Tentava fazer o melhor, me dedicava, dava a vida nos treinos.

A condição de Cássio foi melhorando a cada dia. Tite, porém, ainda não tinha plena confiança em levá-lo, talvez por nunca tê-lo visto jogar.

Primeiro, Cássio passou a ser levado como reserva, embora sempre para jogos menores, nunca para os clássicos. Até que Cássio finalmente entrou em campo pela primeira vez, naquele jogo contra o XV de Piracicaba. Foi bem e passou a ser visto de maneira diferente, tanto por Tite quanto pelo torcedor, que até então também não o conhecia. Depois disso, Cássio começou a ir mais vezes para o banco, revezando-se com Danilo Fernandes. Se Danilo ia duas vezes, ele ia uma.

Àquela altura, do ponto de vista físico, Cássio já estava plenamente recuperado, segundo seu preparador. "Quando se começa o trabalho do zero, como foi nesse caso, você só tem condição de ter o goleiro em alto nível dentro de três ou quatro meses", avalia Mauri. "Em uma semana, duas semanas, você não consegue colocar seu trabalho, você não faz nada."

Então, diante daquela situação nova, Mauri Lima apelou para uma longa argumentação em sua conversa com Tite: "Você está sem confiança no Júlio. É um sobrepeso muito grande, a torcida exigindo. A gente tem o Danilo, que já jogou, foi bem. Mas ninguém sabe até que ponto ele pode suportar essa pressão, porque ele também é da casa, como o Júlio César. Então bota o Cássio. O cara está com a cabeça boa, não tem responsabilidade nenhuma, não está sendo cobrado de forma pesada. Está voando, sem nenhum tipo de problema, não tem nada a perder. Está bem condicionado, é um jogo que vai ter muita bola alta. E ele vai se impor pela estatura". Tite respondeu: "Vou pra casa, vou pensar".

No dia seguinte, a sexta-feira, o *Diário Lance!* foi às bancas com o resultado de uma enquete feita por seu site, o Lancenet!, que apontava: 80% dos torcedores queriam ver Cássio como titular naquele primeiro jogo dos mata-matas da Libertadores; 13% mantinham-se fiéis ao antigo titular Júlio César; somente 7% fechavam com Danilo Fernandes. Naquela manhã, Tite finalmente anunciou: "Vai o Cássio".

Na coletiva de imprensa, o técnico justificou assim sua decisão (e, de certa forma, a demora em tomá-la): "Ouço a opinião das pessoas, mas eu que escolho e vai o Cássio. Tenho um jogador para a característica do jogo, de envergadura, já que os dois estão treinando bem. Ambos são bons, um mais experiente de forma internacional e outro tem experiência de clube". Essa última referência era a Danilo Fernandes, sobre quem Mauri Lima até hoje reconhece: **"A chance era do Danilo. Seria muito fácil dizer 'vai jogar ele, porque é o segundo goleiro'. Mas às vezes a gente tem que tomar decisões na vida, tem que optar, acreditar naquilo que você está fazendo".**

Cássio nem sequer havia assistido ao fatídico jogo contra a Ponte em que Júlio César falhara. Naquele dia, quem estava no banco de reservas era Danilo Fernandes, e o Gigante nunca foi muito ligado em acompanhar o que se fala sobre os jogos. Em termos de redes sociais, por exemplo, ele se autodefine como um "manezão". Por isso, tinha visto apenas os gols do jogo e, claro, tomado conhecimento da desclassificação corintiana no Campeonato Paulista.

Nos dias que antecederam a escolha, Mauri Lima já estava preparando o espírito de Cássio, avisando-o de que tinha "grandes chances" de ser escalado, então deveria se preparar bem porque a possibilidade era real. Caso fosse mesmo escalado, bastaria fazer no jogo o que já vinha fazendo nos treinos. Foi o técnico Tite, pessoalmente e diante também de Danilo Fernandes, quem comunicou a decisão ao Gigante, com as seguintes palavras: "Sabe por que *tu está* entrando no time? Porque aqui as paredes têm ouvidos e olhos. Muitas vezes eu não estava no treino, mas sei que teu nível de exigência sempre foi muito alto, todo mundo fala isso aqui".

— O Danilo Fernandes também sempre foi um cara dedicado, que sempre treinou em alto nível. Mas acho que, apesar de eu ter jogado pouco até ali, pesou a meu favor o fato de ter passado pela Europa. Pesou essa experiência internacional.

Quando chegou ao clube, é verdade que o Gigante foi visto com desconfiança. Porém, depois que começou a treinar, cada vez mais pessoas que o acompanhavam de perto passaram a dizer que sua titularidade era uma questão de tempo, de ter uma chance de jogar. Para quem era de fora, ele talvez ainda não passasse tanta segurança, mas, para quem vivia o dia a dia do Corinthians, Cássio já era uma realidade. Diante da necessidade de substituir Júlio César, o próprio presidente do clube, Roberto de Andrade, em uma conversa informal com jornalistas, havia antecipado: "Nós temos um goleiro que vai entrar e dar conta do recado".

Foi uma decisão arriscada. Aos 24 anos, sete deles como profissional, Cássio entraria em campo para um jogo oficial apenas pela 47ª vez. Até ali, haviam sido dez partidas pela Seleção Brasileira sub-20, três pelo Grêmio, trinta e duas na passagem pela Holanda e outra pelo Corinthians. "Poderia ter dado errado", reconhece, hoje, Mauri Lima. **"Mas, naquele momento, era uma decisão que tinha que ser tomada."**

Capítulo 6

★★★★★

A PRIMEIRA PRA VALER

Guaiaquil (Equador), 2 de maio de 2012

SIM, CÁSSIO JÁ HAVIA JOGADO com a camisa do Corinthians uma vez, contra o XV de Piracicaba, pelo Campeonato Paulista. Mas a primeira pra valer, mesmo, foi contra o Emelec, em Guaiaquil, no Equador, jogo de ida das oitavas de final da Libertadores de 2012. Aquele em que ele entrou no lugar de Júlio César — para ficar. "Estou preparado", afirmava o goleiro na manchete do *Diário Lance!* daquela quarta-feira. Frase que resumia seu espírito para a partida.

Na rápida entrevista concedida ao jornal, ele se definia como alguém "tranquilo desde criança", qualidade que considerava "importante para um goleiro". Bem-humorado, dizia não se importar mais com o apelido que começava a pegar também no Corinthians, principalmente por causa de Alessandro, seu ex-companheiro de Grêmio. Logo no reencontro entre os dois, o lateral, propositadamente indiscreto, teria cumprimentado: "E aí, Frank?".

Cássio ainda explicava que, apesar de muita gente vê-lo como terceiro goleiro, ele nunca havia se enxergado assim. Dizia que continuava se dedicando para ser titular e estava preparado para quando a oportunidade chegasse. Quando saiu na imprensa que assumiria a posição, a mãe, a família e todo o pessoal de Veranópolis haviam ligado ou mandado mensagens de apoio pelas redes sociais. E, por fim, afirmava que o técnico Tite e a torcida podiam confiar não só nele, mas "em toda a equipe". Tite, aliás, definia seu novo titular como alguém "frio, meticuloso, centrado". E acrescentava: **"Sabe de sua responsabilidade e tem plena consciência do jogo decisivo e de tudo o que representa vestir a camisa do Corinthians. A preparação dele foi boa, por isso a tranquilidade de colocá-lo em campo".**

Na noite em que assumiu de vez o gol corintiano, Cássio ainda vestia uma camisa preta de mangas curtas brancas, com bolinhas também pretas. Modelo igual ao utilizado por Júlio César, mas logo substituído pelo amarelo com o qual o Gigante se consagraria. Somente o número 24, que ele levava às costas, permaneceria o mesmo por algum tempo. Além da camisa, Cássio havia herdado de Júlio César um time classificado em primeiro lugar em seu grupo, o 6, e em segundo na classificação geral, com 14 pontos, apenas um atrás do Fluminense, primeiro do grupo 4. Se a desclassificação no Paulista havia custado a posição para Júlio, na Libertadores o Corinthians seguia invicto, com quatro vitórias (2 a 0 e 3 a 1 no Nacional do Paraguai, 1 a 0 no Cruz Azul do México e 6 a 0 no Deportivo Táchira da Venezuela) e dois empates (1 a 1 com o Táchira, em San Cristóbal, e 0 a 0 com o Cruz Azul, na Cidade do México). Agora começariam os mata-matas.

Naquela primeira vez pra valer, no Equador, a primeira bola que vem na direção de Cássio é chutada por Figueroa, de fora da área, pouco antes dos 6 minutos de jogo. Ela desvia na defesa, mas acaba agarrada com segurança, no canto esquerdo. Inicia-se ali uma longa relação de cumplicidade e confiança entre a Fiel e seu maior goleiro.

No resto daquele jogo, Cássio é soberano. Principalmente no segundo tempo, quando a expulsão do atacante Jorge Henrique logo no comecinho obriga o Timão a atuar com dez homens contra onze e o goleiro passa a ser mais exigido. Logo aos 10 segundos, ele sai do gol para recolher uma bola alçada na entrada da grande área. Aos 3 minutos, espalma no canto direito, bem ao seu estilo, uma cabeçada de Achilier que tinha endereço certo. Antes dos 6 minutos, intercepta um cruzamento na pequena área, ganha a disputa no ar e sofre falta de Figueroa. Aos 8, pega outra bola cruzada, demonstrando mais uma vez muita segurança na saída do gol. Aos 17, em uma cobrança de falta, apesar de pedir insistentemente para que três homens componham sua barreira, é atendido com apenas dois (Emerson

Sheik e Alex). Resultado: o chute de Valencia, da intermediária, explode em seu travessão. Aos 21, Cássio tem que trabalhar de novo, indo até a marca de pênalti, socando para longe uma cobrança de escanteio e, na sequência, segurando firme outro cruzamento, na entrada da grande área. Aos 26, sai de novo do gol, para abafar a bola nos pés de Figueroa. Aos 39, o último susto: Mena chuta com força, da entrada da área, mas Cássio espalma para longe. Final: Emelec 0, Corinthians 0. Considerado o melhor jogador em campo, Cássio havia feito a sua parte. E se tornara uma realidade.

"Acho que tive, sim", ele respondia, ainda no desembarque no Aeroporto de Guarulhos, aos jornalistas que perguntavam se havia tido uma atuação que o manteria como titular. "Mas cabe ao Tite decidir. Estou fazendo meu trabalho, espero que o professor tenha gostado. Quero continuar assim no time e dar conta do recado."

Até Júlio César, o antigo titular e agora seu rival na disputa pela posição, elogiou a atuação de Cássio. Flagrado pelas câmeras vibrando do banco com as defesas do novo titular, Júlio justificou: "Ele fez uma grande partida. Aqui, torcemos um pelo outro. O Cássio está de parabéns".

— O Júlio César é uma das melhores pessoas que eu conheci no futebol. O Danilo Fernandes também é um cara muito do bem, bacana, mas o Júlio, cara... Porque foi ele que perdeu a posição e continuou sendo a mesma pessoa: como era antes, continuou sendo depois. Tenho muito respeito por ele. Dos companheiros de posição que eu tive, acho que ele e o Marcelo Grohe são os caras mais feras com quem eu disputei posição. Como pessoas, como seres humanos. A família do Júlio também: tem os filhos, a esposa, pessoas do bem. Fico muito feliz de ter sido campeão da Libertadores e depois do Mundial com ele. Um cara batalhador, merecedor de tudo que tem. Acho muita injustiça quando falam mal dele, foram muito duros com ele. É corintiano nato, de ir em jogo do Corinthians na infância. Vi uma imagem na TV depois, na hora do lance do Diego Souza, em que ele bota a mão na cabeça e vira pra trás na hora que o Diego está vindo na minha direção. Ele não queria nem ver *[risos]*... Eu só tenho elogios pra ele.

Na época, Cássio analisou assim sua atuação na primeira vez pra valer: "Não fiquei nervoso. Claro que tem a ansiedade pela situação, acho que todo o time teve, mas fomos bem. O mais importante foi a gente não ter perdido, agora basta uma vitória". De fato, depois daquele 0 a 0 no Equador, o Timão só precisava vencer o mesmo Emelec, na quarta-feira seguinte, no Pacaembu, para chegar às quartas de final da Libertadores. No entanto, por não ter marcado fora de casa, um novo empate, mas com gols, classificaria o adversário. Outro 0 a 0 levaria a decisão para os pênaltis. Situação em que Cássio também viria a se consagrar com a camisa corintiana, mas na qual, àquela altura, ele ainda não havia sido testado.

Mais do que não sofrer gols, a preocupação do Corinthians, então, passou a ser marcá-los. Os treinos durante a semana privilegiaram o toque de bola, a paciência para superar uma possível retranca do Emelec. Paciência que, no final, nem foi tão necessária assim: naquela noite, ao fazer 3 a 0 — gols de Fábio Santos logo aos 8 minutos do primeiro tempo, Paulinho aos 20 e Alex já aos 41 do segundo —, o Corinthians voltava a se classificar em um mata-mata da Libertadores depois de doze anos, situação que não ocorria desde que havia eliminado o Atlético-MG nas quartas de final de 2000.

Por conta de algumas dores na região lombar, Cássio não havia treinado nem no sábado nem no domingo. Na segunda-feira, já recuperado, fez apenas uma atividade específica com bola junto ao seu preparador, Mauri Lima. Naquela quarta, porém, estava novamente em campo, ainda visto como uma "aposta mantida" no gol corintiano. Vestindo pela primeira vez a emblemática camisa amarela, acertou todas as saídas do gol. Fez sete defesas, duas delas dificílimas. Logo no primeiro minuto do segundo tempo, espalmou para escanteio um chute de Valencia, em cobrança de uma falta em dois lances, que àquela altura poderia ter custado o empate por 1 a 1 e complicado a classificação. Aos 25, quando o jogo já estava 2 a 0, defendeu um chute colocado, cara a cara, desferido por De Jesús. Dois dias depois daquele jogo que valeu a classificação, na sexta-feira, o jornalista Mauro Beting escreveu em sua coluna no *Diário Lance!*:

"Cássio não é uma mistura de Buffon, Casillas, Yashin, Gilmar, Ronaldo e Dida. Mas ganhou do torcedor aquilo que vinha faltando a Júlio César. Respeito e respaldo que também tranquilizam o ambiente tanto quanto um time cascudo, experiente e entrosado". A maior de todas as defesas ainda estava por vir, contra o Vasco, nas quartas de final da Libertadores. Assim como a consagração definitiva do Gigante.

Capítulo 7

LIBERTADORES: UM CAPÍTULO À PARTE

La Bombonera (Buenos Aires), 27 de junho de 2012

PRINCIPAL COMPETIÇÃO entre clubes do continente, a Copa Libertadores da América começou a ser disputada em 1960. Fundado em 1910, o Corinthians só conseguiu jogá-la pela primeira vez 67 anos depois. Nascido em 1987, Cássio, aos 25, havia acompanhado à distância a maior parte do drama corintiano na busca daquele título, que já durava 35 anos. Agora, apenas cinco meses após sua chegada, ao se preparar para enfrentar o Boca Juniors, da Argentina, no primeiro jogo da decisão da Libertadores de 2012, no estádio de La Bombonera, em Buenos Aires, o goleiro tinha a exata dimensão da importância daquele momento e de como havia sido difícil chegar até ali, tanto para ele quanto para seu clube.

Dez anos antes de Cássio nascer, o Timão pusera fim a um jejum de títulos no Campeonato Paulista que já durava 22 anos, oito meses e sete dias. Mas naquele mesmo 1977, em sua primeira participação na Libertadores, a equipe vice-campeã brasileira do ano anterior (1976) com os históricos laterais Zé Maria e Wladimir, mesmo reforçada na competição continental pelo atacante Palhinha, acabou eliminada ainda na fase de grupos. Apesar de invicto em casa (empatou com o Internacional de Falcão & cia. por 1 a 1 e goleou os equatorianos El Nacional, por 3 a 0, e Deportivo Cuenca, por 4 a 0), o Corinthians perdeu todos os jogos que disputou como visitante (1 a 2 nas duas partidas no Equador e 0 a 1 em Porto Alegre).

Outra chance na Libertadores, para o Corinthians, somente catorze anos depois. Foi em 1991, como consequência da conquista do primeiro título brasileiro da história do clube, o de 1990, graças, principalmente, às grandes atuações e gols de falta do meia Neto. Daquela vez, a queda no torneio internacional aconteceu nas oitavas de final, diante do Boca Juniors. Derrota na Argentina (1 a 3) e empate no Morumbi (1 a 1), ambas as partidas marcadas por falhas individuais do jovem zagueiro Guinei, então com apenas 21 anos. Naquela época, Cássio tinha 4 anos, e já havia escapado de morrer por muito pouco.

— Tive uma pneumonia muito forte e a minha tia ainda me levou pro vento *[risos]*. Eu vivia doente, era meio fraquinho em termos de imunidade. Meus irmãos ainda nem tinham nascido.

A década de 1990 e os primeiros anos de 2000 foram mais pródigos para o Corinthians em termos de participações na Libertadores, até porque o número de vagas destinadas a clubes brasileiros na competição foi aumentando gradativamente. Assim como também aumentou a cobrança pela conquista de um título que nunca vinha.

Em 1996, a queda na Libertadores da equipe corintiana campeã da Copa do Brasil de 1995 — que tinha o goleiro Ronaldo, o meia Marcelinho e depois recebeu o reforço do atacante Edmundo — aconteceu nas quartas de final: derrota por 3 a 0 no Pacaembu, com falha do zagueiro Alexandre Lopes, e uma inútil vitória por 1 a 0 fora de casa, gol de Edmundo, marcado já no último minuto do segundo tempo. O adversário foi o Grêmio, justamente o time do coração de Cássio, então um piá de 9 anos.

— Mas desses jogos eu não lembro nada... Estava só começando a gostar de futebol.

Entre 1999 e 2000, enquanto Cássio começava a passar de criança a adolescente, o Timão teve craques como Gamarra, Kléber, Vampeta, Rincón, Marcelinho, Edílson e, um pouco mais tarde, também o goleiro Dida e o centroavante Luizão. Foi bicampeão brasileiro em 1998 e 1999 e, por isso, tornou-se o representante do país-sede no primeiro Mundial de Clubes da Fifa, disputado no Brasil, no início de 2000, título que aquele inesquecível Corinthians também conquistou. Mas na Libertadores da América, tanto em 1999 quanto em 2000, sofreu duas duras derrotas, ambas nos pênaltis, ambas diante do maior rival, o Palmeiras. Uma delas nas quartas de final de 1999, depois de perder o primeiro Dérbi (como os jogos entre os dois times são chamados) e ganhar o segundo, ambos por 2 a 0. A outra aconteceu na semifinal de 2000. Na primeira partida, o Corinthians chegou a fazer 3 a 1 e sofreu o empate, mas acabou ganhando por 4 a 3. Na segunda, levou o primeiro gol, virou para 2 a 1 e sofreu a "virada da virada", para 2 a 3. Nos pênaltis, Marcelinho, o maior ídolo corintiano, perdeu a última cobrança, defendida pelo goleiro alviverde Marcos, o maior ídolo palmeirense.

Dessa época, mais que das derrotas do Corinthians, Cássio se recorda de uma dupla desclassificação do próprio Palmeiras, porque ela aconteceu pelas mãos de um dos maiores ídolos de sua infância/adolescência: o goleiro colombiano Óscar Córdoba, do Boca Juniors, da Argentina. Na decisão daquela mesma Libertadores de 2000, competição da qual o Palmeiras havia eliminado o Timão na semifinal, Córdoba garantiu o título nos pênaltis ao defender as cobranças de Asprilla e Roque Júnior. No ano seguinte, 2001, também contra o Palmeiras (só que nas semifinais), Córdoba brilhou novamente, agarrando mais dois pênaltis, de Alex e Basílio. Anos depois, Cássio e Córdoba se encontraram em um aeroporto e o Gigante não perdeu a oportunidade de registrar aquele momento em uma foto.

Cássio estava em fase de transição dos juvenis para os juniores do Grêmio quando aconteceu mais uma eliminação corintiana na

Libertadores, em 2003: derrota em casa (2 a 1), diante do River Plate, da Argentina. Fato que se repetiria em 2006, também em casa, diante do mesmo River Plate, só que por 3 a 1, com direito a gol contra do lateral direito Coelho, o vilão da vez. Isso apesar da presença do craque portenho Carlitos Tévez, que no ano anterior (2005) havia sido fundamental na conquista de mais um título brasileiro pelo Corinthians.

— Essas duas eu já vi pela televisão. Na primeira, o lateral Roger foi expulso; na segunda, a torcida, inconformada, derrubou o alambrado do Pacaembu.

Em 2010, ano mágico do centenário corintiano, Cássio já estava na Holanda. Enquanto isso, a equipe liderada por Ronaldo, o "Fenômeno", havia sido a melhor de todas na fase de grupos da Libertadores, mas também acabou prematuramente eliminada, ainda nas oitavas de final, pelo Flamengo. Tudo por ter sofrido um gol em casa: perdeu por 1 a 0 no Rio, ganhou por 2 a 1 em São Paulo.

— Também assisti pela TV, lá da Holanda. Até porque o Ronaldo estava no Corinthians e ele até hoje é ídolo no PSV. Tinham cogitado, até, de ele se recuperar no clube antes de vir pra cá, por intermédio de um empresário chamado Pedro Salazar. Assisti àquele jogo assim como tinha assistido também em 2007 àquele contra o Grêmio, torcendo para o Corinthians não cair para a Série B do Brasileiro. Não por nada, porque ainda nem sabia o que ia acontecer, que iria jogar aqui. Mas eu não estava torcendo pro Corinthians cair, não.

Finalmente, no início de 2011, enquanto Cássio já se preparava para voltar a jogar no Brasil, o Corinthians sofreu o maior de todos seus vexames na Libertadores: a eliminação ainda na fase pré-grupos, diante do modesto Deportes Tolima, com um 0 a 0 no Pacaembu e uma derrota por 2 a 0 na cidade colombiana de Ibagué. Após aquela série de jogos, Ronaldo resolveu se despedir de vez do futebol.

Todos os principais rivais corintianos já haviam sido campeões sul-americanos: o Santos em 1962, 1963 e 2011, o São Paulo em 1992, 1993 e 2005, o Palmeiras em 1999. O Corinthians, ainda não. Frases como "jamais serão" e até a criação de um site para torcer contra o Timão na Libertadores (www.quandoelecai.com.br) tornaram-se brincadeiras comuns entre os torcedores rivais, principalmente via redes sociais. Tudo isso só aumentava a responsabilidade da equipe, que Cássio chegou a sentir na pele certa vez, em uma pizzaria.

— Todo mundo zoava o Corinthians porque não tinha Libertadores, então *tu começa* a conhecer um pouco mais, começa a compreender o que é o Corinthians. Graças a Deus peguei só o final disso. Pra mim era tudo novo. Lembro uma vez que eu estava jantando junto com uma pessoa e fiquei até com o olho arregalado. Era um sábado à noite, um cara chegou e falou: "Vamos passar pela Libertadores, hein? Porque eu sei onde *tu mora...*". Assim, em tom de ameaça. Eu tinha só três meses de clube, nunca tinha pegado esse tipo de pressão.

Era tempo de tentar mais uma vez, agora na Libertadores de 2012. O técnico Tite, mesmo após a derrota de 2011 para o Tolima, havia sido mantido no cargo e dado a volta por cima com a conquista do Campeonato Brasileiro daquele ano. Cássio, após a estreia já nos mata-matas e a obtenção da confiança geral nos jogos contra o Emelec, do Equador, pelas oitavas de final, conheceria a consagração. No banco, o antigo titular, Júlio César, passou a revezar com Danilo Fernandes. Em campo, Cássio destacava-se cada vez mais. No primeiro jogo das quartas de final, contra o Vasco, em São Januário, no Rio, não foi tão exigido, mas teve ao menos a esperteza de não tentar segurar a bola em um campo encharcado pela chuva. Aos 41 minutos do primeiro tempo, espalmou para fora da área uma cobrança de falta de Juninho Pernambucano que ia direto para o gol. Aos 5 do segundo, caiu com firmeza em seu canto esquerdo para recolher um chute fraco, porém desferido de muito perto, por Éder Luís. Aos 10, teve que espalmar um chute cruzado, de novo de Éder Luís. Final: 0 a 0. A vaga para as semifinais seria decidida em São Paulo.

Naquele meio-tempo, para não perder ritmo de jogo, Cássio foi mantido como o único titular, ao lado de dez reservas (doze, contando os dois que entraram durante a partida), na derrota para o Fluminense por 0 a 1 no Pacaembu, estreia do Corinthians no Brasileiro de 2012. Aquele foi o primeiro gol sofrido por Cássio com a camisa do Corinthians, já na disputa de sua quinta partida, aos 28 minutos do segundo tempo, após 432 jogados. Nunca, em toda a história do clube, um outro goleiro havia tido um início com saldo tão positivo.

No jogo de volta contra o Vasco, naquela que se tornaria sua grande noite, além da "maior de todas as defesas", Cássio devolveu com socos duas bolas endereçadas à sua área. Uma na cobrança de uma falta por Juninho Pernambucano, logo aos 10 minutos, outra em um cruzamento, já aos 39 do primeiro tempo. Depois do gol da vitória por 1 a 0, marcado de cabeça por Paulinho, aos 43 minutos do segundo tempo, o Gigante, ainda dentro do gramado, mas já sem camisa, tratou de comemorar como nunca. Merecia.

Quando entrou em campo para enfrentar o Santos de Neymar pelas semifinais da Libertadores, Cássio já era uma realidade. Tanto que foi poupado nos dois jogos pelo Campeonato Brasileiro realizados entre os confrontos dos alvinegros, substituído por Danilo Fernandes na derrota por 0 a 2 para o Grêmio, em Porto Alegre, e por Júlio César no 0 a 1 para a Ponte Preta, em Campinas, apesar de, para o segundo compromisso, o Gigante ter se colocado à disposição. Júlio César também jogaria no lugar de Cássio na vitória por 2 a 1 sobre o Palmeiras, antes dos dois jogos da decisão contra o Boca, partida que serviu para a ascensão de mais uma estrela: Romarinho.

Para Cássio, os duelos contra o Santos foram bem menos complicados do que os contra o Vasco. Na primeira partida, na Vila Belmiro, deu Corinthians, 1 a 0, com um gol de Emerson Sheik e o goleiro recolhendo mais objetos atirados pela torcida adversária no gramado do que propriamente bolas chutadas contra seu gol. No primeiro tempo, ele apenas amorteceu uma cobrança de falta de Elano. No segundo, trabalhou um pouco mais, colocando três bolas para escanteio: um chute rasteiro do zagueiro Durval em seu canto esquerdo, uma cabeçada do centroavante Borges e um chute cruzado do lateral esquerdo Juan. Ao final da partida, avaliava: "Valeu a luta e o trabalho de todos, foi importante. Mas sabemos da qualidade do Santos e do Neymar. Temos que conseguir um resultado positivo em casa também. Lutamos até o final, ainda mais depois que o Emerson foi expulso. Acertamos a marcação e não tomamos gol". Àquela altura, aliás, a defesa corintiana chegava a 562 minutos sem sofrer gols na Libertadores. O equivalente a seis jogos seguidos, cinco deles (ou 450 minutos) com Cássio na meta. "Acho que não só a defesa, todo mundo está fazendo força, todo mundo está ajudando", avaliava o goleiro. **"Os atacantes voltam, isso tudo facilita muito. Nunca vi um time que marca tanto. É uma equipe que volta, todo mundo marca, se ajuda. É o nosso diferencial."**

No segundo jogo contra o Santos, Cássio enfim foi vazado na Libertadores (apenas pela quarta vez em seus primeiros dez jogos com a camisa do Corinthians, contando também os compromissos pelo Brasileiro). O autor da façanha foi justamente Neymar, aproveitando o rebote de um desvio do centroavante Borges na trave para fazer Santos 1 a 0, aos 35 minutos do primeiro tempo. Dessa vez, porém, a tensão que tomou conta do Pacaembu foi logo aliviada pelo gol de empate, marcado por Danilo nos primeiros dois minutos da segunda etapa. Agora, somente os argentinos do Boca Juniors separavam o Corinthians de seu maior sonho. Era só nisso que Cássio pensava naquele momento, antes de entrar em campo, em La Bombonera.

O Campeão dos Campeões

Capítulo 8

A CONQUISTA DO SONHO

Pacaembu, 4 de julho de 2012

O ÁRBITRO COLOMBIANO Wilmar Roldán apita pela última vez naquela noite. Com gols do atacante Emerson Sheik marcados no segundo tempo, o Corinthians vence o Boca Juniors, da Argentina, por 2 a 0, e é campeão da Copa Libertadores da América pela primeira vez em sua história. Sem nenhuma derrota.

Imediatamente, a festa se irradia do gramado do Pacaembu para toda a cidade de São Paulo, como mostra o espetáculo acústico e pirotécnico captado com rara sensibilidade pelo torcedor Leonel SantAnna da janela de seu apartamento, no centro da capital paulista.[2] Verdadeiro réveillon no início da segunda metade do ano — 4 de julho de 2012, o dia da independência americana

2. Essas imagens podem ser conferidas no endereço <youtube.com/watch?v=rG48ALdFQ90>.

do Corinthians —, que logo se espalhou por boa parte do Brasil e por qualquer canto do mundo em que um corintiano estivesse presente.

Cássio corre do seu gol na direção do bolo de companheiros onde já estavam, entre outros, o antigo titular Júlio César e o lateral direito Alessandro, aquele mesmo cuja carreira no Corinthians ele havia ajudado a salvar ao praticar "a maior de todas as defesas", contra o Vasco. Todos se abraçam, pulando freneticamente. Sem conseguir parar de sorrir por um segundo sequer, Cássio ainda se lembra de saudar a Fiel, primeiro erguendo um braço (o esquerdo), depois ambos, quando já se encontrava isolado dos outros jogadores, apenas entre Júlio César e o meia Danilo, outro herói daquela conquista inesquecível. É que naquela direção da saudação do goleiro, entre os 37.959 torcedores presentes, estava a mãe do Gigante, acompanhada pelos parentes e amigos de Veranópolis. Dona Ciana, aliás, acertou em cheio seu palpite para o resultado da decisão: 2 a 0.

— Foi um dia muito especial, muito especial mesmo, porque muitas pessoas que me ajudaram a estar onde eu estou hoje estavam naquele jogo: minha mãe, a Mariju, tio Kojak... Enfim, tias, primos, tios. A Oraide estava, os meus primos também estavam. Acho que umas quinze pessoas. Eu morava em um apartamento que estava bombando. Todo mundo estava feliz, eu aluguei uma van e foi todo mundo. O jogo era nove e meia, nove e quarenta e cinco, mas sete horas eles já estavam lá no Pacaembu, sentindo o clima.

Na semana que antecedeu a primeira partida da decisão contra o Boca, Cássio foi poupado do jogo contra o Palmeiras, pelo Campeonato Brasileiro. Ali nasceu um novo ídolo corintiano: Romarinho. Trazido do Bragantino apenas alguns dias antes, o jovem atacante de 21 anos estreou como titular com o pé direito, marcando os dois gols na virada por 2 a 1, o primeiro deles de letra. Ao deixar o clube para jogar no Qatar, em 2014, ostentaria a invejável marca de cinco gols nos cinco jogos que fez contra o maior rival. Com aquele feito inicial diante do alviverde, Romarinho já garantia pelo menos um lugar entre os relacionados para o primeiro jogo da decisão da Libertadores, no temível estádio de La Bombonera, em Buenos Aires. Inicialmente, apenas como uma opção de banco para o técnico Tite.

A partida na Argentina foi cercada de tensão, a começar pela batalha da Fiel pelos apenas 2.450 ingressos disponibilizados à torcida visitante. Isso fez com que muitos corintianos viajassem mesmo sem garantias de que entrariam no estádio. Até o ex-volante corintiano Elias, de férias do Sporting, de Portugal, onde atuava na época, apareceu por lá. Quem conseguiu ingresso, a preços exorbitantes pagos a cambistas, teve que assistir à partida disfarçado de boquense. E sofreu muito, principalmente na hora dos gols. Além disso, o Boca havia tentado, sem sucesso, adiar o jogo da quarta para a quinta-feira, por conta de uma greve de caminhoneiros em Buenos Aires. A intenção era ganhar um dia a mais de descanso para seus titulares, estafados pela disputa simultânea de três competições: Libertadores, campeonato nacional e Copa da Argentina. Contra o All Boys, pelo Torneio Clausura do Campeonato Argentino, acabou colocando em campo um time cheio de reservas, perdeu por 3 a 1 e deu adeus às chances de conquistar aquele título. O Corinthians, por sua vez, conseguiu junto à CBF o adiamento de um jogo contra o Botafogo, pelo Brasileiro, inicialmente marcado entre as duas partidas da final da Libertadores, que acabou ficando para depois da decisão sul-americana.

Com a bola rolando, Cássio — dessa vez substituindo seu já tradicional uniforme amarelo por um outro, todo preto, para se diferenciar da camisa *azul y oro* do Boca e também da roupa amarela do próprio goleiro adversário, Orión — só vai trabalhar no segundo tempo, quando encaixa com segurança um chute de Mouche desferido de dentro da área. Aos 28 minutos, vem o gol do Boca, mesmo sem o Corinthians ter sofrido até ali aquela pressão sempre esperada quando se joga na Bombonera. Após cobrança de escanteio de Mouche pela esquerda e duas cabeçadas contra o gol, o zagueiro corintiano Chicão tenta salvar usando a mão. Consegue, mas, na sequência, a bola bate no pé da trave direita e sobra para Roncaglia fazer 1 a 0. Vibração de Maradona, presente nas tribunas e focalizado pelas câmeras de TV. Cássio, além de não ter culpa no lance, ainda voltaria a encaixar com firmeza um chute de fora da área do ex-corintiano Santiago *El Tanque* Silva.

Faltam pouco mais de cinco minutos para o final daquele primeiro jogo decisivo. Alguns corintianos até já consideram a derrota por apenas um gol de diferença um resultado não tão ruim assim. É quando o técnico Tite resolve apostar em Romarinho, colocando-o em campo no lugar de Danilo. Segundos depois, ele se desloca pelo lado direito, invade a área, recebe de Emerson Sheik e na primeira vez em que toca na bola o faz por baixo dela, dando uma cavadinha na saída do goleiro. **"Olha o Romarinhoooooo!!!!"**, grita o locutor Cléber Machado, na transmissão da Rede Globo para todo o Brasil. O Corinthians empata o jogo, 1 a 1. Depois disso, nem a bola cabeceada por Viatri no travessão de Cássio, já nos acréscimos, foi capaz de tirar uma certeza: o mais difícil havia sido feito.

Mas a guerra de nervos continuava. Durante a semana que antecedeu a segunda partida, chegaram informações de que Riquelme, o craque do Boca, havia declarado que o Corinthians, no primeiro jogo, só havia se defendido, e que o árbitro tinha sido "um idiota". "Eu nem sabia direito o que ele tinha falado", respondia Cássio quando perguntado a respeito. **"Cada um fala o que quer e o que pensa, mas não chegamos à final por acaso. Não tenho o que responder a ele. Confio no nosso time e se impusermos o nosso jogo temos condições de levar o título."** Ganhar bastava, mas outro empate, por qualquer número de gols, levaria a decisão para os pênaltis. Por isso, durante a semana, Cássio fazia questão de tranquilizar a Fiel. "Já peguei alguns jogando na base do Grêmio. Sempre fui feliz e mais ganhei do que perdi. Sempre consigo pegar um ou dois."

Pelo menos daquela vez, essa que futuramente se mostraria uma das maiores qualidades do Gigante não foi necessária.

Para Cássio, a grande final da Libertadores só foi começar aos 27 minutos do segundo tempo, quando ele defendeu com firmeza uma cabeçada perigosa de Mouche, desferida da entrada da pequena área, e acabou aos 44, quando recolheu um chute rasteiro, cruzado, de Santiago Silva. Quando praticou a primeira defesa, Emerson Sheik já havia feito 1 a 0, dezoito minutos antes. Na sequência da segunda, Sheik marcou o segundo gol, aproveitando um presente do zagueiro Schiavi. Depois de erguida pelo capitão Alessandro sob uma chuva de papel laminado e o alarido do estádio enlouquecido, a tão cobiçada taça da Libertadores passa de mão em mão. Inclusive pelas do Gigante, a quem aquela torcida tanto devia. Pela primeira vez, o Corinthians e seu goleiro eram os maiores da América.

TU ÉS ORGULHO

Capítulo 9

★★★★★

À ESPERA DO MUNDIAL

Pacaembu, 2 de dezembro de 2012

"NÓS VENCEMOS O PRIMEIRO JOGO DO MUNDIAL HOJE. Eu estou falando: guardem essa resposta." As palavras do técnico Tite, ditas em uma entrevista coletiva, vinham logo depois de uma derrota, 1 a 3, de virada, para o São Paulo. Era a véspera do embarque para o Japão, onde o Corinthians, campeão do primeiro Mundial de Clubes da Fifa, em 2000, disputado no Brasil, agora tentaria o bi.

Naquela partida — a última do Campeonato Brasileiro de 2012 —, o Timão havia entrado em campo com seus titulares e o adversário, com os reservas, pois também tinha uma decisão, a da Copa Sul-Americana, pela frente. O Corinthians até abriu o placar, com um gol de Guerrero, aos 13 minutos. Mas logo no lance seguinte Douglas empatou para o São Paulo. Ainda no primeiro tempo,

Maicon virou para 2 a 1 e, na segunda etapa, Maicon novamente marcou o terceiro. Cássio não falhou em nenhum desses lances e até fez algumas boas defesas, principalmente no segundo tempo. Ao final da partida, uma frase do lateral esquerdo Fábio Santos resumia o pensamento de todos àquela altura: "Graças a Deus, acabou esse Brasileiro".

Cinco meses e oito dias separaram a conquista da Libertadores e a estreia corintiana no Mundial de Clubes. Naquele período, a equipe entrou em campo 32 vezes, todas pelo Brasileirão. Obteve catorze vitórias, onze empates e sete derrotas, marcou 48 gols e sofreu 32. Quando a Libertadores terminou, o time era o penúltimo colocado no campeonato nacional, com sete pontos em quatro jogos (tinha uma partida a menos que os adversários). Atuando com os reservas, só havia vencido o Palmeiras. Após a volta dos titulares, terminou a competição em sexto lugar, com 57 pontos, atrás de Fluminense (campeão, com 77), Atlético-MG (vice, com 72), Grêmio (71), São Paulo (66) e Vasco (58). Cássio só deixou de disputar três daqueles 32 jogos.

— Eu queria jogar. Até porque fiquei muito tempo sem atuar. Sabia que em algum momento o Tite ia acabar dando alguma folga para todo mundo, mas, se perguntasse para mim, eu queria jogar.

Como todos os campeões da Libertadores (incluindo o próprio técnico, substituído naquela oportunidade por seu auxiliar,

Cléber Xavier), o Gigante foi poupado da viagem para o "jogo da ressaca", quatro dias depois da grande festa contra o Boca, um empate por 1 a 1 com o Sport, no Recife. Depois disso, porém, ele só não esteve em campo na derrota por 0 a 1 para o Figueirense, em Florianópolis, em 5 de setembro, e no jogo seguinte, no dia 8, vitória por 3 a 1 sobre o Grêmio, no Pacaembu. Ambas as vezes, por um motivo mais do que justo: após cinco anos, voltava a ser convocado para a Seleção Brasileira, dessa vez pelo técnico Mano Menezes, para os amistosos contra a África do Sul (Brasil 1 a 0), no dia 7 de setembro, no Morumbi, e contra a China (Brasil 8 a 0), em 10 de setembro, no Estádio do Arruda, no Recife.

No entanto — e assim como já havia acontecido em sua primeira convocação, por Dunga, em 2007 —, ainda não foi daquela vez que Cássio entrou em campo com a camisa da Seleção principal, pois ficou na reserva de Diego Alves, então no Valencia, da Espanha. Posteriormente convocado também para os jogos do Superclássico das Américas, contra a Argentina, ao lado dos companheiros de Corinthians Fábio Santos, Ralf e Paulinho, Cássio também acabou não atuando. Além de ser reserva de Jefferson, do Botafogo, a partida marcada para a noite de 3 de outubro na cidade argentina de Resistencia ainda foi adiada por falta de energia elétrica.

— O que me fez chegar à Seleção foi meu trabalho no Corinthians. Tenho sempre que fazer meu trabalho aqui, tentar ser cada dia melhor. Se eu estiver bem e o Corinthians estiver bem, aí, sim, as chances de jogar na Seleção aumentam.

No primeiro jogo do Timão no Pacaembu após a conquista da Libertadores — aquele contra o Botafogo, que havia sido adiado, e também o primeiro de Cássio na série dos 32 que antecederam a viagem para o Japão —, coube aos veteranos jogadores do histórico time do Corinthians campeão paulista em 1977, após 22 anos de tentativas frustradas, colocar as faixas no peito dos campeões da Libertadores de 2012. A faixa de Cássio veio das mãos de Basílio, o autor do gol da vitória por 1 a 0 na final de 35 anos antes, contra a Ponte Preta.

Naquela noite de 11 de julho, o Timão acabou derrotado por 3 a 1. Cássio, pela primeira vez, sofreu mais de um gol em um mesmo jogo com a camisa alvinegra — ou melhor, com a sua já tradicional camisa amarela. No primeiro, foi traído por um desvio do zagueiro Paulo André, que marcou contra. No segundo, o Gigante não conseguiu se antecipar ao atacante Elkesson, autor também do terceiro gol botafoguense, dessa vez chutando sem defesa, em seu canto esquerdo.

A partir de seu 17º jogo pelo Corinthians, uma vitória sobre o Cruzeiro por 2 a 0, no Pacaembu, no dia 25 de julho, Cássio trocou o número 24 de sua camisa pelo 12, que mantém até hoje. Daí em diante, só não o utilizou uma única vez: no clássico contra o Santos que terminou empatado por 0 a 0, pelo segundo turno do Brasileiro de 2019, quando o 181 representava o número da figurinha de Cássio no álbum do campeonato daquele ano.

No empate por 1 a 1 com o Atlético Goianiense, em casa, em 8 de agosto, o uniforme amarelo também foi trocado pelo azul-escuro. Em geral, as avaliações sobre Cássio publicadas pelo *Lance!* naquele período pré-Mundial de Clubes foram bem parecidas, com a repetição de expressões como "pouco exigido" e "seguro nas bolas altas". Muitas vezes, havia o acréscimo de referências a alguma "defesa salvadora".

Na vitória corintiana por 1 a 0 sobre o Inter, no Pacaembu, em 16 de agosto, a camisa amarela de Cássio voltou. No jogo seguinte, clássico contra o Santos, na Vila Belmiro, em 19 de agosto, de novo vestido de azul-escuro, ele fez duas defesas incríveis, uma em um chute de Arouca e outra em uma cabeçada de André. O resultado (derrota corintiana por 2 a 3) só não foi melhor porque no lance do segundo gol santista o bandeirinha Émerson de Carvalho deixou de marcar o impedimento de três jogadores adversários: Bruno Rodrigo, Durval e André.

Na derrota de virada para o São Paulo por 1 a 2, ainda no primeiro turno do Brasileiro, em 26 de agosto, a camisa amarela de Cássio retornou, para ficar até antes do empate por 2 a 2 com o Botafogo, no Rio, em 23 de setembro, quando o Gigante novamente vestiu azul. Mas na vitória por 3 a 0 sobre o Sport, no Pacaembu, em 30 de setembro, ele já estava novamente de amarelo. Contra a Portuguesa, no empate por 1 a 1, Cássio sofreu seu primeiro gol em cobrança direta de falta, já no seu 33º jogo pelo Corinthians. Havia passado invicto diante de grandes cobradores, como o então flamenguista Ronaldinho Gaúcho, o palmeirense Marcos Assunção, o vascaíno Juninho Pernambucano e o goleiro são-paulino Rogério Ceni. Naquele dia 13 de outubro, porém, o goleiro sucumbiu diante de um cruzamento despretensioso do lateral Marcelo Cordeiro que pingou no gramado irregular do Canindé, bem à sua frente, antes de entrar diretamente no gol.

Nas últimas seis rodadas, com a pontuação mínima para a permanência na Série A do Brasileiro já garantida, o técnico passou a escalar força máxima, iniciando a preparação para o Mundial. Cássio fechou o Campeonato Brasileiro, sempre vestido de azul, nas vitórias por 2 a 0 sobre o Atlético Goianiense, em Brasília; 5 a 1 sobre o Coritiba, no Pacaembu; 2 a 0 no Inter, em Porto Alegre; no empate por 1 a 1 contra o Santos, no Pacaembu; e, por fim, na derrota por 1 a 3 para o São Paulo, também no Pacaembu — aquele jogo que Tite considerou, moralmente, "o primeiro do Mundial". Na competição em si, no Japão, a camisa amarela de Cássio voltaria. Com ela, o Gigante conquistaria o mundo.

MINHA VIDA!
CORINTHIANS
MINHA HISTÓRIA
MEU AMOR

Capítulo 10

COM O MUNDO NAS MÃOS

Yokohama (Japão), 16 de dezembro de 2012

O PODEROSO CHELSEA É INGLÊS, como também são ingleses seus defensores Cahill e Ashley Cole e seu meio-campista Frank Lampard. Mas o goleiro, Petr Cech, é checo; o lateral direito Ivanovic é sérvio; o zagueiro David Luiz e o volante Ramires são brasileiros; o meia Moses é nigeriano e Juan Mata, espanhol. Já o atacante Hazard é belga e Fernando Torres, também espanhol. Uma verdadeira seleção internacional, essa equipe havia conquistado a Liga dos Campeões da Europa. Agora, no Nissan Stadium, em Yokohama, no Japão, ela pressiona o Corinthians, na final do Campeonato Mundial de Clubes da Fifa de 2012.

São jogados apenas dez minutos. Na cobrança de um escanteio pela direita, Chicão, na pequena área, tenta afastar, mas a sobra é de Cahill, que chuta à queima-roupa. Cássio, então, faz um milagre, o primeiro de seus muitos naquela noite japonesa, manhã brasileira, de domingo. Ele se atira contra a bola, praticamente se deitando sobre ela para evitar que ultrapassasse a linha fatal.

Aos 37, Fernando Torres recebe um lançamento na entrada da área, domina e consegue chutar de pé direito. Mas Cássio está lá de novo, para encaixar com firmeza. No lance seguinte, apenas dois minutos depois, outra grande defesa — somente comparável àquela, a “maior de todas”, a da Libertadores, contra o Vasco —: Moses recebe pela esquerda, na entrada da área, e chuta colocado, buscando o canto esquerdo, à meia-altura. Cássio voa e desvia a bola para escanteio, com as pontas dos dedos de sua santa mão direita.

– A defesa do Moses foi a mais difícil. Eu não vi a bola sair, mas, de mão trocada, consegui desviar. É sempre difícil quando você não vê, mas consegui usar minha envergadura.

Até o final do primeiro tempo, Mata tenta mais um chute de fora da área, de sem-pulo. E Cássio está lá novamente, para agarrar com firmeza.

Na segunda etapa, a pressão do Chelsea continua, mas Cássio segue firme. Antes dos 10 minutos, ele tem que sair aos pés de Hazard, no lado direito de sua pequena área, para mais uma vez evitar o gol. O Corinthians, que no primeiro tempo preocupou-se mais em resistir do que em atacar, agora parece ter voltado mais “intenso”, como seu técnico, Tite, gosta de dizer.

Entre os 10 e os 18 minutos, o time encaixa uma boa sequência de lances. Emerson Sheik tenta um chute da entrada da área, que explode no corpo de Cahill. Guerrero faz boa jogada pela direita, leva vários adversários e ganha um escanteio. Paulinho chuta cruzado, rasteiro, já de dentro da área, e a bola passa bem perto, à esquerda do gol de Cech.

O grande número de corintianos presentes, calculado em cerca de 30 mil fiéis vindos das mais diversas partes do mundo, é representado por faixas pretas e brancas, nas quais se leem os mais diversos nomes de bairros, cidades, estados e até países. Da Bela Vista à Vila Moraes. Do Capão Redondo a Interlagos, passando por Curitiba, Mooca, Itaquaquecetuba, Tatuapé, Cachoeira, Pirituba, Praia Grande, Tucuruvi, Pindamonhangaba, Jundiaí, Itaquera, Jardim Maristela, Espírito Santo, Guarulhos, Cubatão, Mogi-Guaçu, Indaiatuba, Suzano, Serra Negra, São Mateus, Canadá, Diadema, Santa Isabel. Os presentes ao estádio se somam aos milhões que acompanham o jogo pela televisão, e todos parecem sentir o momento favorável. Começa, então, a ser entoado o cântico consagrado desde aquela partida contra o Vasco, a mesma em que Cássio também se consagrou:

Vaaaaaamos, vaaaaamos, Corinthians!
Nesta noite, teremos que ganhaaaaaar...

São passados 23 minutos e 15 segundos do segundo tempo quando Ralf tenta um chute de longe. A bola estoura na defesa, sobe e sobra para Emerson Sheik, no lado direito do campo. Ele cruza, mas David Luiz afasta o perigo da área. Alessandro recupera a bola e a atrasa para Chicão recomeçar tudo, quase no meio do campo. O zagueiro dá um passe em profundidade para Paulinho. De letra, ele levanta na cabeça de Jorge Henrique, que, por sua vez, devolve para Paulinho dominar, invadir a área e deixar para Danilo, livre pelo lado esquerdo. Danilo corta para a direita e chuta com força, mas em cima da zaga. A bola sobe e sobra para Guerrero, por trás do goleiro Cech, subir e cabecear. De tão rente ao travessão, parece não ter sido gol. Mas foi. Corinthians 1 a 0.

Ainda faltava metade do segundo tempo, o suficiente para Cássio praticar mais um milagre, aos 40 minutos. De novo Fernando Torres apareceu livre, com tempo para pensar, na frente da pequena área. E o Gigante, uma vez mais, cresceu, interceptando o chute com sua perna direita. Mais um susto, com Juan Mata chutando no pé da trave, no último lance da partida, e pronto: o Corinthians é bicampeão do mundo, e Cássio, o Bola de Ouro do Mundial de Clubes da Fifa. E não só como o melhor goleiro, mas também como o melhor jogador de toda a competição e da final, o que lhe valeu um automóvel oferecido pela Toyota, patrocinadora do evento. Depois, o valor desse carro seria convertido pelo goleiro em cestas básicas distribuídas à população carente de Veranópolis. Um dos primeiros a cumprimentá-lo é Petr Cech, considerado um dos melhores goleiros do mundo, senão o melhor. Tanto que, após a defesa no famoso lance com Diego Souza, o Gigante também passou a ser conhecido como "Petr Cássio". Depois do jogo, um repórter confidenciaria a Cássio que Cech "sabia tudo" sobre ele: quem era, que tinha jogado na Holanda e assim por diante.

– Não tem essa de "São Cássio". Tenho títulos importantes, mas ainda muita coisa para viver, muitas coisas pela frente. Quero ser ídolo, quero ganhar muito pelo Corinthians e estou no caminho. Mas falta muito para ser São Cássio. Só fiz a minha parte, como os outros, que fizeram os gols.

Foi assim que o herói de mais uma grande conquista corintiana, ainda na saída do vestiário, rebateu, com humildade franciscana, a "canonização" que lhe era proposta pela imprensa, mal aquela partida havia terminado.

— Sempre acreditei no meu trabalho. Por ter ganhado esse prêmio e ter feito um ano muito bom, não tenho como não lembrar de minhas raízes, de onde comecei, lá em Veranópolis, de todas as pessoas que me deram motivação até hoje, de todo mundo que me ajudou, da minha família.

Cássio já havia estado no Japão uma vez na vida, em 2005, com a base do Grêmio. Coincidentemente, a primeira de suas muitas tatuagens, que ele ainda ostenta no antebraço direito (e que já carregava desde os tempos da Holanda), é de um samurai. "Samurai é um guerreiro milenar japonês", justificou Cássio em uma reportagem do *Diário Lance!* publicada às vésperas da estreia do Corinthians no Mundial. **"Na minha vida sempre tive que lutar muito, vou continuar lutando para chegar aos meus objetivos e sonhos. Acho que é esse o significado da tatuagem: sempre lutar e nunca desistir até chegar aos meus objetivos."**

Nos anos seguintes vieram as demais *tattoos,* que hoje ocupam ambos os braços do goleiro, referentes a um anjo e às iniciais dos nomes do filho Felipe, da falecida avó Maria Luiza, da mãe Maria de Lourdes, da irmã Taís e do irmão Eduardo. Ainda falta uma para a filha mais nova, nascida em janeiro de 2018 e também batizada Maria Luiza, em homenagem à avó de Cássio.

Quando o Corinthians se classificou para a disputa daquele Mundial, em julho, como campeão da Libertadores, já estavam definidas as presenças no torneio do Auckland City, da Nova Zelândia (representante da Oceania), do Monterrey, do México (da Concacaf, a região das Américas Central, do Norte e do Caribe), e do Chelsea, da Inglaterra (campeão da Champions League, a badaladíssima Liga dos Campeões da Europa). Ainda não haviam sido definidos os campeões da África, da Ásia e do Japão (país-sede), que seriam o Al-Ahly (Egito), o Ulsan Hyundai (Coreia do Sul) e o Sanfrecce Hiroshima. O favorito disparado para ganhar a competição — e manter a hegemonia europeia no Mundial de Clubes que vinha desde 2007 — era mesmo o Chelsea. Os ingleses haviam derrotado o Bayern de Munique, da Alemanha, nos pênaltis, após empatar a final europeia por 1 a 1, no jogo único disputado na casa do adversário. Nas semifinais, eliminaram o poderoso Barcelona de Xavi, Iniesta e Messi. O time havia perdido jogadores importantes, como seu capitão Terry e os marfinenses Kalou e Drogba, mas ainda era considerado muito superior aos demais concorrentes ao título, inclusive o Corinthians.

O sorteio das chaves, em 24 de setembro, definiu que, em uma das semifinais, o Timão jogaria contra o vencedor da partida entre o campeão africano e o vencedor de campeão japonês versus Auckland City, da Nova Zelândia, que, por sua vez, se enfrentariam em uma fase preliminar. Boa notícia, já que, na outra semifinal, o Chelsea jogaria com o vencedor da partida entre o representante da Ásia e o Monterrey, do México — este, considerado um adversário mais forte. Dos titulares do time campeão da Libertadores, somente haviam sido negociados o zagueiro Leandro Castán (foi para a Roma, da Itália, sendo substituído pelo reserva Paulo André) e o meia Alex (foi para o Al Gharafa, do Qatar). O principal reforço, que logo se mostraria fundamental, foi o atacante peruano Paolo Guerrero, suprindo uma grande carência em sua posição. Outros ídolos, como o zagueiro Chicão, o lateral esquerdo Fábio Santos, os volantes Ralf e Paulinho e o atacante Romarinho, receberam sondagens para jogar no exterior. Mas todos acabaram ficando, assim como Cássio. O volante Guilherme, que chegou da Portuguesa em setembro, não pôde, por isso mesmo, ser incluído na lista dos 23 inscritos, porém viajou junto com o grupo.

Calcula-se que, em 1976, perto de 70 mil fiéis torcedores tenham invadido o Rio de Janeiro quando o Corinthians voltou do Maracanã classificado para a final do Campeonato Brasileiro após bater o Fluminense nos pênaltis. Em 2000, o fenômeno conhecido como "invasão corintiana" se repetiu, embora em proporções bem menores, na decisão do I Mundial de Clubes da Fifa, contra o Vasco, também vencida pelo Timão, também nos pênaltis, também no Maracanã. Para que houvesse uma invasão de corintianos ao Japão, eles teriam que enfrentar uma distância de 17.360 quilômetros e um dia inteiro dentro de aviões. Porém, mesmo assim, ela já se anunciava desde que fora esgotado, em menos de doze horas, o primeiro lote de ingressos liberado pela Fifa via internet, na madrugada do sábado, 8 de setembro, para o domingo, 9. Os preços dos pacotes cobrados pela Vai, Corinthians!, a agência oficial do clube, variavam entre nada módicos 6 mil e 31 mil reais. Considerando-se as capacidades dos estádios de Toyota e Yokohama — respectivamente, 45 mil e 73 mil lugares — e seus índices de ocupação nos dias dos jogos, é plausível calcular uma presença mínima de 25 mil corintianos na primeira partida (vitória por 1 a 0 sobre o Al-Ahly) e acima de 30 mil na segunda (no outro 1 a 0, contra o Chelsea).

Ainda em São Paulo, Cássio havia testado a bola que, supostamente, seria a utilizada no Mundial. Menor em relação à do Campeonato Brasileiro, ela tinha uma aderência muito boa. Era também um pouco mais pesada, o que facilitava para o goleiro, porque não "balançava" tanto: o atacante tinha de colocar um pouco mais de força para que ela viajasse. Só que a tal bola acabou não sendo aquela, mas, sim, a Cafusa, posteriormente utilizada também na Copa das Confederações de 2013, no Brasil. Os goleiros corintianos só foram conhecê-la quando chegaram ao Japão, mas Cássio a elogiou do mesmo jeito.

— Era uma bola um pouco mais rápida que a do Brasileiro. Comparando com as outras, é muito boa. A melhor dos últimos anos.

No dia seguinte à derrota para o São Paulo, em jogo que fechou a campanha no Brasileirão de 2012, Cássio e seus companheiros já embarcavam com destino ao Japão. Deixaram o Centro de Treinamento Joaquim Grava, na Rodovia Ayrton Senna, às 22h40, acompanhados por uma ruidosa multidão, calculada em 15 mil pessoas, paramentada também com motivos nipônicos, além das tradicionais camisas e bandeiras do Corinthians. Durante todo o trajeto de dez quilômetros que separa o CT corintiano do Aeroporto Internacional de Guarulhos, uma curiosa situação se inverteu: eram os jogadores, munidos de celulares, que faziam questão de registrar as cenas proporcionadas pela torcida. O voo 262 da companhia aérea Emirates rumo a Dubai, nos Emirados Árabes (onde o Corinthians permaneceria por um dia antes de partir para o Japão), decolou com quarenta minutos de atraso, somente às 2h05 da madrugada. Por questão de segurança, o ônibus que conduzia a delegação teve que entrar por um portão lateral do aeroporto, que dá acesso direto à pista de voo. Ao passar pela chancela que os separava do embarque, os jogadores desceram para saudar a Fiel, em seu último contato com os torcedores antes de deixarem o Brasil.

— O que os caras fizeram ali foi uma coisa do outro mundo. As imagens do aeroporto lotado, todo tomado pelo torcedor... O que o torcedor corintiano fez aquele dia foi impressionante, é coisa que fica marcada pro resto da vida. O corintiano, não adianta, é diferente. Esse tipo de coisa motiva muito mais.

Catorze horas depois, o Corinthians chegava a Dubai. Apesar de já ser noite por lá, houve tempo para um treinamento leve no CT do Al Nassr antes de a delegação seguir, no dia seguinte, para o Japão, onde o voo aterrissou às 17h30 pelo horário local. No caminho, um susto: segundo a nota emitida posteriormente pela própria companhia aérea, "um movimento do avião fez com que uma pequena fresta se abrisse em uma das portas do andar superior, onde estava a delegação corintiana. O problema foi contornado rapidamente". Houve correria entre a tripulação, como o próprio Cássio testemunha:

— Eu estava bem perto de onde abriu o buraco. Estávamos conversando, o avião excepcional, tudo ótimo. De repente deu um estouro e a gente viu entrando o vento. As aeromoças começaram a correr e todo mundo ficou assustado. Naquele trecho, o Fábio *[Mahseredjian, preparador físico do Corinthians em 2012]* queria que a gente dormisse, pra começar a se adaptar mais rapidamente ao fuso horário do Japão. Quando deu esse barulho, todo mundo ficou assustado, perplexo, mas graças a Deus não aconteceu nada. As mulheres *[aeromoças]* começaram a botar umas toalhas pra tapar o buraco, mas o piloto falou que não era nada de mais. Na hora a gente pensa o pior, que vai cair o avião.

Enquanto isso, no Japão, o Sanfrecce Hiroshima, campeão local, fazia 1 a 0 no time de atletas amadores do Auckland City, da Nova Zelândia. Classificava-se, assim, para, no domingo, disputar com o Al-Ahly, do Egito, o direito de fazer uma das semifinais contra o Corinthians, na quarta-feira. Naquela noite, sob um frio de zero grau, boa parte da delegação corintiana esteve presente no estádio de Toyota, assistindo à vitória dos egípcios sobre os japoneses por 2 a 1. Cássio não foi, por causa das insistentes dores no ombro que estava sentindo.

– Fiquei me tratando. Foi um dia de treino em dois períodos. Estava muito frio. Nós fomos pro campo, eu treinei normalmente, mas quando voltei senti muita dor, não conseguia fazer os movimentos. Eu queria ir ao jogo, mas o Bruno Mazziotti *[fisioterapeuta do Corinthians na época]* achou melhor não ir pra não pegar frio, não ia ser bom. Então, fiquei no hotel.

Naquele mesmo dia e local, na preliminar, o Monterrey, do México, fez 3 a 1 no Ulsan da Coreia do Sul, e se classificou para a outra semi, contra o Chelsea. Na segunda-feira, houve treinos no Wave Stadium Kariya, de Nagoya, e trabalhos na academia do hotel. Na terça, houve o reconhecimento do gramado em um treino no Toyota Stadium, palco do jogo. Na quarta, 12 de dezembro, finalmente aconteceu a estreia corintiana no Mundial, às 19h30 locais (8h30 de Brasília), contra os egípcios do Al-Ahly.

Para aquela partida que valeu a presença na decisão, a grande dúvida do Corinthians era Guerrero. No jogo contra o São Paulo, a fim de ser poupado, o peruano havia sido substituído por Jorge Henrique ainda no primeiro tempo, por conta de um estiramento no ligamento colateral do joelho direito, decorrente de uma pancada. Para jogar aquela semifinal, fez um tratamento intensivo iniciado ainda no Brasil. Antes do embarque, tomou infiltração, para suportar as dores. Surpreendentemente, chegou a treinar com bola ainda em Dubai. Já no Japão, voltou a treinar normalmente, sem nenhuma dor. Agora, estava em campo para marcar o gol da vitória por 1 a 0 que deu ao Corinthians a vaga na final do Mundial. Dois dias antes do jogo, Cássio não havia treinado. Continuava sentindo dores no ombro esquerdo, as mesmas que o incomodavam desde o começo do segundo semestre, e por isso foi poupado de qualquer atividade física. Fez tratamento preventivo pela manhã e à tarde, mas no dia seguinte participou do último treinamento. No dia do jogo, entrou em campo normalmente.

Era uma partida em que Cássio e o Corinthians tinham, talvez, muito mais a perder do que a ganhar. A derrota significaria não só a desclassificação antes mesmo da final, mas a obrigação de disputar um frustrante terceiro lugar, também no domingo, na preliminar da grande decisão. Por isso, e sob uma temperatura de apenas 5,6 graus, o jogo apresentou-se mais nervoso, até, do que o esperado. Para sorte do Corinthians, o gol saiu ainda no primeiro tempo, aos 30 minutos, quando Guerrero, de cabeça, completou para as redes uma bola alçada de primeira por Douglas para dentro da área egípcia. Depois disso, o time não fez praticamente mais nada.

— Qualquer time, hoje, que vai pro Mundial e não chega à final é uma grande decepção para todo mundo. O primeiro jogo é o mais difícil, porque a pressão é toda em cima da equipe que tem que passar, que é a nossa, porque somos os sul-americanos e tal. Era um jogo bem complicado, contra um time bom, experiente, de respeito no mundo árabe. Um time bem conhecido lá, com vários jogadores da seleção. Foi um jogo bem complicado.

Cássio foi tocar na bola pela primeira vez já no final da primeira etapa, socando para longe de sua área um cruzamento pela direita, na cobrança de um escanteio. Na segunda etapa, não trabalhou muito, à exceção de um lance em que teve de sair do gol, fechando o ângulo e forçando Fathi, que aparecia livre pelo lado direito, a chutar para fora.

– Fizemos 1 a 0, não sofremos nenhuma pressão. Eu até fiz essa defesa, da qual ninguém fala. Na transmissão pela TV, alguém falou, acho que foi o Galvão Bueno: "Foi uma grande defesa".

Durante todo o resto do tempo, ele viu a bola rondar perigosamente a sua área, principalmente em chutes de longe. O jogo acabou com a bola em suas mãos, após mais um levantamento do time do Egito para a área corintiana.

No dia seguinte, definiu-se o já esperado rival corintiano na decisão: o Chelsea, que venceu os mexicanos do Monterrey por 3 a 1. O time inglês chegou ao Mundial após vencer o Sunderland, por 3 a 1, pelo Campeonato Inglês. Na Liga dos Campeões da Europa, havia dado adeus às chances do bicampeonato logo na fase de grupos: apesar da goleada por 6 a 1 sobre o Nordsjælland, da Dinamarca, ficou de fora porque a Juventus ganhou de 1 a 0 do Shakhtar Donetsk, na Ucrânia. Muito contestado, o técnico espanhol Rafa Benítez substituía o italiano Roberto Di Matteo, que em maio havia conquistado a Liga dos Campeões para o clube. Como desgraça pouca é bobagem, seu capitão, o zagueiro Terry, foi cortado às vésperas do Mundial, com uma lesão no joelho direito. E Rafa Benítez ainda daria uma mãozinha extra para o Corinthians ao não escalar o talentoso brasileiro (e ex-são-paulino) Oscar.

Perguntado sobre quem era o favorito, Cássio não pensava duas vezes:

— O Chelsea. O Corinthians é um grande time, nós sabemos da nossa força, mas eles são os atuais campeões da Europa, têm jogadores consagrados, são os favoritos.

Em seguida, o Gigante dava uma ponta de esperança à Fiel:

— Mas não é por serem favoritos que vamos achar que não dá pra ganhar. Já provamos nossa força e estamos prontos para qualquer desafio.

A torcida também pensava assim. Tanto que, no dia da decisão, invadiu o estádio de Yokohama — onde, dez anos antes, em 2002, a Seleção Brasileira havia conquistado o pentacampeonato mundial — entoando um grito irônico, debochado, divertido, do qual Cássio, mesmo sorrindo, diz "não se lembrar": "Eeeeeee... *fuck you,* Chelsea! *Fuck you,* Chelsea! *Fuck you,* Chelsea! Eeeeeee...".

– Tínhamos ido ver Chelsea e Monterrey. Três a um pro Chelsea, um totó. O Tite era tão cabeça pra esses negócios que, depois daquele jogo, perguntou pra gente: "Vocês acham que o Chelsea jogou bem?". E ele mesmo respondia: "Por que o Chelsea jogou bem? Por que ganhou fácil? Porque o time do Monterrey não tentou chegar, deixou os caras jogarem do jeito que queriam. Se a gente também deixar...". Então, ele começou a botar na nossa cabeça que nós tínhamos que jogar, que ia ser difícil, mas nós tínhamos que lutar até o final.

Para o Corinthians, a sexta-feira, 14 de dezembro, foi dia de treino no Mitsuzawa Stadium, e o sábado, 15, de reconhecimento do gramado de Yokohama. Para Cássio, foram dias para se emocionar com os vídeos enviados por sua família. Eram recados da mãe, dos irmãos, das tias e dos primos, dando incentivo e força. No dia da partida, enquanto o Gigante erguia os troféus de campeão mundial e melhor do jogo no Japão, cerca de 50 pessoas estavam reunidas, desde cedo, em Veranópolis. Como vários corintianos, a família Ramos tinha vibrado muito com as defesas de Cássio. Agora, comemoravam a vitória com um churrasco regado a muita cerveja.

Capítulo 11

UM ANO DE SACRIFÍCIOS. E MAIS TÍTULOS

Fagundes Varela (RS), 5 de janeiro de 2013

NAQUELE SÁBADO, quinto dia do ano, Cássio, ainda em férias, estava sendo homenageado na região de Veranópolis, mais exatamente no município gaúcho cujo nome remete ao poeta romantista Luiz Nicolau Fagundes Varela (1841-1875). Na ocasião, o goleiro participava de um jogo entre seus amigos e um combinado de veteranos do Botafogo local, em cuja escolinha (um projeto de formação de crianças e adolescentes no esporte) havia atuado quando guri. Porém, ainda no primeiro tempo, sob forte chuva, o Gigante teve que deixar o gramado.

— Aquele ano começou mal já nas férias. O cara cruzou uma bola, eu escorreguei, caí com o joelho pra dentro e machuquei o quadril. Na hora, pensei: "Arrebentei tudo".

Cássio saiu do jogo com dificuldade até mesmo para andar. Foi direto para um hospital de Veranópolis, onde realizou os primeiros exames. Os raios-x não constataram nada. Na cidade vizinha, Nova Prata, fez ressonâncias. Verificou-se, então, um edema no joelho e que o quadril também estava machucado. Antes disso, ele já havia saído do Mundial com um problema no ombro. O diagnóstico era de bursite, mas, como em 2012 o time teve que jogar uma partida atrás da outra, Cássio também foi jogando — no último mês, já à base de muitas injeções e fisioterapia. Daí ter ficado fora de alguns treinamentos no Japão e, lá, feito fisioterapia intensivamente, de manhã e à tarde. Tudo para continuar em campo.

Quando 2013 começou, ele resolveu retornar ao clube uma semana antes do final das férias para se tratar.

— Estava recuperando o joelho, não era nada, mas tive bastante problema com dor no ombro. Um exame apontou algo que ninguém esperava. Eu lembro que o doutor Joaquim Grava, na época, e os outros médicos também, todo mundo ficou um pouco assustado.

Era uma lesão típica de jogadores de handebol. Havia duas opções: fazer uma cirurgia (mesmo sem a certeza de um bom resultado) ou tratar. Atleta e médicos, em conjunto, decidiram pelo tratamento. Substituído primeiro por Júlio César e depois por Danilo Fernandes, Cássio ficou fora do time nas sete primeiras rodadas do Campeonato Paulista. Depois de quase um mês, Tite convocou uma reunião com o goleiro, o preparador Mauri Lima e o médico Joaquim Grava. Preocupado, o técnico abriu o jogo: "Eu sei que *tu não tá* 100%, mas eu preciso de ti". Como sempre fazia, perguntou a opinião de todos antes de decidir: Cássio voltaria a jogar.

A estreia do Gigante naquele ano aconteceu somente no dia 17 de fevereiro, em clássico contra o Palmeiras que terminou empatado por 2 a 2 — único Dérbi de 2013, já que no Brasileiro o rival disputaria a Série B. Visivelmente sem ritmo de jogo e ainda atormentado pelas dores, o Gigante ficou no meio do caminho nos lances de cruzamento que resultaram nos dois gols palmeirenses, ambos marcados de cabeça, por Vílson e Vinicius. Em compensação, de seus pés, em uma ligação direta desde a sua área para Alexandre Pato (que já se encontrava nas proximidades do gol adversário), começou a jogada do empate corintiano, conquistado por Romarinho.

— Eu não tinha treinado muito, acho que apenas uma semana antes daquele jogo. Só que precisava de ritmo pra Libertadores, que já ia começar. Jogava à base de injeção. Eu tinha dias bons, mas também dias que não conseguia erguer o braço. Não conseguia fazer o movimento nem pra defender a bola.

A próxima partida, tanto do Corinthians quanto de Cássio, foi a estreia na Libertadores: o fatídico 1 a 1 contra o San José, em Oruro, na Bolívia, quando o jovem torcedor Kevin Espada, de 14 anos, morreu nas arquibancadas após ser atingido por um sinalizador. Como punição, o jogo seguinte do Timão em casa pela competição sul-americana, contra o Millonarios, da Colômbia, teve que ser disputado com portões fechados. Naquela noite de Pacaembu vazio em que o Corinthians venceu por 1 a 0, Mauri Lima, como sempre, começou o aquecimento chutando contra o gol de Cássio — que não conseguia encaixar a bola.

— Quando ela batia no braço, parecia que eu estava tomando uma facada no ombro. Naquele dia, falei: "Não aguento mais de dor. Vamos ter que operar". Estava doendo muito, muito, muito... Porque eu já vinha há uns dois meses e meio tomando injeção, fazendo fisioterapia, não conseguia treinar. Comecei até, em lances em que eu sempre fui muito seguro, a oscilar um pouquinho, a tomar uns gols que normalmente eu não tomaria. Eu não estava me sentindo seguro naquele momento, porque era uma situação difícil e eu precisava jogar.

Bruno Mazziotti, fisioterapeuta do Corinthians, olhou nos olhos do goleiro e falou: "*Tu vai,* agora *tu vai* jogar. Botei a injeção e *tu vai.* Amanhã nós vamos decidir. Se tiver que operar, nós vamos operar. E vamos embora".

– Cara, eu tomei aquela injeção e me senti bem no jogo, não doeu mais. Acredita que nunca mais doeu? Graças a Deus, nunca mais doeu. Do nada, assim...

Aquela dor passou, mas para Cássio, apesar dos títulos conquistados, 2013 foi também um ano de "sacrifícios". Ocorreram outras lesões — "uma atrás da outra", como ele mesmo lembra. Tanto que terminou o ano machucado. Não conseguia manter seu ritmo. Quando tentava ordenar uma sequência de jogos, acontecia alguma coisa. Hoje, ele faz uma autocrítica:

— Não sei se me cuidei direito naquela época, se me dediquei 100% a me cuidar. Eu era solteiro, morava sozinho, vinha de um campeonato mundial, nos holofotes... Era tudo novo pra mim, ainda mais porque foi tudo muito rápido. Afinal, 2012 tinha sido um ano de títulos em questão de meses.

Na Libertadores de 2013, o Corinthians não conseguiu brigar efetivamente pelo bi, atrapalhado primeiro pelo episódio da morte do torcedor na Bolívia, depois pela desastrada arbitragem do árbitro paraguaio Carlos Amarilla. Na partida de volta das oitavas de final, novamente contra o Boca Juniors, no Pacaembu, ele deixou de dar um pênalti para o Corinthians em um lance em que o lateral Marín tocou a bola com a mão, tirando-a da frente de Emerson Sheik, que já armava o chute. Também anulou um gol legítimo de Romarinho por impedimento quando o jogo estava 0 a 0. Ainda anulou outro gol corintiano, marcado de cabeça por Paulinho, por uma suposta falta no goleiro Órion. Placar final: 1 a 1. O Corinthians, que depois de ter perdido por 0 a 1 na Argentina precisaria pelo menos ter devolvido o resultado em casa, estava fora da Libertadores. No lance do gol adversário, Cássio foi surpreendido pela genialidade de Riquelme, que o encobriu com um chute longo, quase um cruzamento, desde a lateral da grande área.

— Foi uma Libertadores marcada pela tragédia do falecimento do menino lá na Bolívia. Do meu ponto de vista, por causa daquilo, era questão de tempo sermos eliminados. Ao contrário de 2012, daquela vez as coisas não estavam conspirando a favor.

Mas nem só de sacrifícios foi feito aquele ano de 2013, tanto para Cássio quanto para o Corinthians. Pelo menos em termos de resultados, a festa iniciada em 2012, com a Libertadores e o Mundial, continuou na temporada seguinte, com as conquistas do Campeonato Paulista, contra o Santos, na casa do adversário, e da Recopa Sul-Americana, diante do São Paulo.

A semifinal do Paulista foi em jogo único, também contra o rival tricolor, no Morumbi. Depois do 0 a 0 no tempo normal, Cássio brilhou nos pênaltis, defendendo a cobrança de Luís Fabiano, o que garantiu a presença corintiana na decisão contra o Santos. Aquela, aliás, foi a primeira das dezenove penalidades máximas defendidas pelo Gigante com a camisa do clube até novembro de 2019. Nesse quesito, em 109 anos de história, somente um goleiro corintiano ainda tem mais pênaltis defendidos do que Cássio: Ronaldo Giovanelli, com 24, entre 1988 e 1998.

— É muito ruim quando um goleiro está jogando e não consegue pegar pênalti. Como eu ainda não tinha pegado nenhum, botei uma coisa na minha cabeça: acho que eu estou vendo muito pênalti e de repente pensando mais no pênalti do que no jogo. Então, vou fazer o seguinte: hoje, eu vejo alguma coisa de pênalti, pra ver os estilos, mas quem cuida disso é o treinador de goleiro (naquela época, o Mauri; hoje, o Leandro). Se eu achar no *feeling* que eu tenho que ir em algum canto, eu vou, mas senão vou na deles, que ficam apontando os lados para mim. Aliás, pênalti é muito *feeling*. Você pensa: vou pular pro outro canto pra ver se intimido o cara, e o cara vai mudar. Às vezes, não dá certo; às vezes, dá.

Naquele dia, 5 de maio de 2013, deu certo. Paulo Henrique Ganso tinha chutado por cima do gol a terceira cobrança do São Paulo. Alessandro chutou na trave esquerda a quarta do Corinthians. Era preciso defender a última cobrança tricolor, de Luís Fabiano, para deixar Alexandre Pato, o último cobrador corintiano, em uma boa condição. Mais na base da intuição que do estudo ("que, naquela época, não existia do jeito que existe hoje"), Cássio pensou: "Vou no canto direito, cruzado". E conseguiu pegar. Até o final daquele ano de 2013, ele defenderia mais um pênalti, também contra o São Paulo, no Morumbi, cobrado por Rogério Ceni no último lance de um clássico que acabou 0 a 0, pelo segundo turno do Brasileiro.

– Eu tinha visto os pênaltis dele. Tinha visto que ele esperava até o último momento. Nos dois pênaltis que eu peguei do Rogério *[o outro foi em um jogo do Campeonato Paulista de 2015, vencido pelo Corinthians por 1 x 0]*, eu vi que ele esperava e batia cruzado lá no cantinho. Então, falei: "Vou esperar e ir". Consegui triscar na bola e peguei.

A decisão contra o Santos, que lutava pelo tetracampeonato paulista (feito até hoje alcançado somente uma vez, pelo Paulistano, entre 1916 e 1919), foi em dois jogos, entremeados pela malfadada partida de volta contra o Boca, pela Libertadores. No primeiro, no Pacaembu, o Corinthians se impôs vencendo por 2 a 1, mas poderia ter feito muito mais. O principal momento de Cássio aconteceu aos 35 minutos do segundo tempo, quando seu time já vencia por 2 a 0 e ele conseguiu desviar para escanteio uma cabeçada para o chão desferida por Neymar. Antes disso, quando o Corinthians ainda estava vencendo só por 1 a 0, aos 22 minutos, Cássio havia espalmado no canto esquerdo um chute de Felipe Anderson. Aos 27, desviara para a trave um tiro de Cícero.

– A gente tinha ganhado a Libertadores deles, na semifinal, e fomos jogar com a mesma equipe do Santos, que tinha Elano, Neymar, Ganso, um supertime. Rafael no gol, Edu Dracena... Praticamente a mesma equipe, e eu lembro que no primeiro jogo nós fizemos uma baita de uma partida. Era pra ser três, quatro, mas a gente fez só 2 a 1 e foi jogar na Vila.

E na Vila Belmiro foi o Santos quem saiu na frente, com um gol de Cícero, aos 26 do primeiro tempo. Cássio ainda tocou na bola, mas não conseguiu evitar que ela entrasse. Para sorte do Corinthians, Danilo, mesmo com a cabeça enfaixada para conter um sangramento, empatou dois minutos depois. O resultado de 1 a 1 permaneceu até o fim. Em um jogo em que o Corinthians, outra vez, atacou mais e cansou de perder gols, Cássio fez apenas uma defesa, aos 22 minutos, em um chute de dentro da área de Felipe Anderson. Depois, comemorou bastante seu primeiro título de campeão paulista.

— Saímos perdendo, mas o Danilo, como sempre, foi lá e empatou o jogo pra gente. Fui campeão, tal, e o time foi pro Brasileiro. Mas não fomos bem, a gente oscilou muito.

Em meio à irregular campanha corintiana no Campeonato Brasileiro de 2013 — que, de fato, não deixaria saudade (décimo colocado, com onze vitórias, dezessete empates e dez derrotas) —, veio mais um título, o da Recopa Sul-Americana, que o Corinthians (campeão da Libertadores) conquistou com duas vitórias sobre o São Paulo (campeão da Copa Sul-Americana): 2 a 1 no Morumbi e 2 a 0 no Pacaembu.

No primeiro jogo — realizado após uma paralisação de quase um mês para a disputa da Copa das Confederações no Brasil —, em uma noite de quarta-feira, 3 de julho, Cássio não foi tão bem. Havia praticado uma boa defesa, é verdade, aos 21 minutos, mandando para escanteio um chute forte de Luís Fabiano que buscava seu canto esquerdo. Mas, no segundo tempo, antes do primeiro minuto, quando o time já vencia por 1 a 0 — gol de Guerrero —, ele espalmou para dentro do próprio gol uma bola chutada pelo são-paulino Aloísio. Pela primeira vez em um jogo de Cássio pelo Corinthians falou-se em "frango", inclusive na transmissão pela TV. Para a sorte de Cássio, porém, Renato Augusto marcou o gol da vitória no segundo tempo, encobrindo Rogério Ceni, e aquela falha individual acabou esquecida.

— Hoje eu encaro bem, confesso que nos últimos anos tenho aprendido a lidar melhor com os erros. Porque eu acho que você está mais próximo do erro quando está muito bem. Você tem que estar sempre mais atento. Eu acho que, quando você erra, acaba ficando mais calejado. Não sou um cara que com um erro perde a confiança.

Tanto é verdade que já na segunda partida da decisão da Recopa ele voltou a ser o Cássio de sempre. Principalmente na metade do segundo tempo, quando o Timão vencia por 1 a 0 e o Gigante praticou um de seus costumeiros milagres, defendendo um chute cara a cara do próprio Aloísio. Final: Corinthians 2 a 0, com um gol em cada tempo, marcado por Romarinho no primeiro e Danilo no segundo, e mais uma taça para a coleção. Do Timão e de Cássio.

— Foram quatro títulos em menos de um ano. Uma coisa absurda! Que dificilmente acontecerá de novo...

S.C. CORINTHIANS PAULISTA
1910

VAI
CORINTHIANS

Capítulo 12

DE TITE A TITE

Arena Corinthians, 22 de novembro de 2015

O CORINTHIANS já havia garantido a conquista de mais um título, o brasileiro, sexto na história do clube e primeiro na carreira de Cássio, com três rodadas de antecedência, ao empatar com o Vasco por 1 a 1 em São Januário, em uma noite de quinta-feira. Agora, naquela bela tarde de domingo, recebia, na antepenúltima rodada, o rival São Paulo, em uma espécie de festa antecipada pelo título, a primeira em sua moderna arena, inaugurada no ano anterior. O Timão, já campeão, escalou meio time reserva, mas Cássio fez questão de estar em campo. Para brilhar, mais uma vez.

Desenhava-se a maior goleada corintiana nos 85 anos de história desse clássico — 6 a 1! — quando, aos 35 minutos do segundo tempo, o árbitro Péricles Bassols resolveu dar ao São Paulo a chance de descontar um pouco o vexame, ao marcar pênalti de Edu Dracena em Carlinhos em um lance em que o zagueiro corintiano, na verdade, tocou primeiro na bola. Alan Kardec preparou-se para a cobrança. Cássio reclamou, mas dirigiu-se para o seu gol. E pegou mais um pênalti, o quinto dos dezenove que defendeu pelo Corinthians até hoje.

— Esse eu estudei. Vi que ele costumava bater no canto de confiança, o meu esquerdo. Fui para aquele lado e peguei.

A festa estava completa. No entanto, entre os títulos do Paulista e da Recopa, em 2013, e a conquista daquele Brasileiro, já em 2015, muita coisa tinha acontecido na vida de Cássio e do Corinthians. A começar pela saída e volta do técnico Tite. Em meio à saturação do trabalho, e já se vendo impedido de fazer as mudanças necessárias em virtude dos laços de gratidão que o uniam a um elenco envelhecido — adicionalmente às acusações de "empatite", motivadas pelos dezessete empates, dez deles sem gols, ocorridos ao longo do insosso Brasileiro de 2013 —, Tite, em 2014, partiu para um período sabático de um ano, que só terminaria com o retorno do treinador ao próprio Timão, no início de 2015. Naquele meio-tempo, quem o substituiu no cargo foi Mano Menezes, que Cássio conhecia muito bem.

— Eu conheci o Mano quando subi para o profissional do Grêmio, em 2005. Só que, quando ele chegou ao Corinthians, eu ainda estava machucado. Ele me chamou numa sala e falou: "Ó, não tá 100%. Quero que você se recupere 100%, fique bem fisicamente. Quando *tu voltar, tu é* o titular. E aí eu quero que esteja bem pra *tu me ajudar,* que eu preciso muito de ti pra esse ano".

De fato, as contusões de 2013 continuaram a persegui-lo em 2014. Chegou a se recuperar, enfim, de uma lesão de grau três no músculo posterior da coxa direita. Logo depois, porém, durante um treino de finalização, Alexandre Pato cabeceou uma bola — "boba, até" — que pegou na ponta de um dos dedos de Cássio. E o goleiro passou a ter um novo problema físico, conhecido como "gatilho". O dedo dobrava, mas travava, não tinha força para voltar à posição normal. Uma pequena operação, após a qual estaria apto a treinar em uma semana, teria resolvido o problema. Só que a presença de cartilagem solta forçou uma nova cirurgia, e a mais tempo fora do time.

– Fui pro CT, me tranquei no quarto e chorei muito. Porque acho que era a sétima, oitava lesão que eu tinha. Pensei: "Meu Deus do céu, o que está acontecendo comigo?". Alguns jogadores foram ao quarto em que eu estava, o Mano também me deu muita força. Era um ano pra dar continuidade ao que eu tinha feito em 2012, 2013. Aí, chega 2014 e, no começo da temporada, machuco de novo.

Cássio só retornaria ao gol do Corinthians (até então defendido por Walter) no dia 16 de fevereiro, já no oitavo jogo do ano, o empate por 1 a 1 com o Palmeiras, pelo Campeonato Paulista.

Pouco antes disso, mesmo sem estar jogando, ele passou por aquele que define como seu "pior momento" não só no Corinthians como em toda a carreira: a invasão do Centro de Treinamento do clube em uma manhã de sábado, 1º de fevereiro de 2014, por centenas de torcedores enfurecidos. Eles ameaçaram os jogadores e agrediram funcionários, depois de uma goleada por 1 a 5 sofrida para o Santos.

— Foi um episódio bem chato. Do nada, todo mundo saiu dizendo: "Corre, que o pessoal invadiu!". Eu estava no vestiário, nessa transição de ir pro campo. Não era uma invasão de dez pessoas, era uma situação de duzentas, trezentas. Tinha um segurança no estacionamento e os caras já foram pro soco com ele. E o segurança pedindo: **"Calma, calma...". Nós, jogadores, vendo isso tudo da janela, corremos pra dentro do vestiário. Os seguranças já botaram uns armários de madeira enormes que havia lá pra segurar a porta.** Os caras nos campos e os jogadores escondidos, alguns dentro do hotel. Foi uma coisa nova pra mim. Ninguém queria entrar em campo pra enfrentar a Ponte Preta no dia seguinte, em Campinas. Depois de muita conversa, o presidente, que era o Mário Gobbi, foi lá conversar e os jogadores foram pro jogo, que a Ponte ganhou de 2 a 1. Mas *tu não vai* com cabeça nenhuma. Foi muito ruim, porque a gente não conseguiu a classificação.

Naquele Campeonato Paulista, aliás, o Corinthians nem sequer se classificou para as quartas de final. Acabou em terceiro

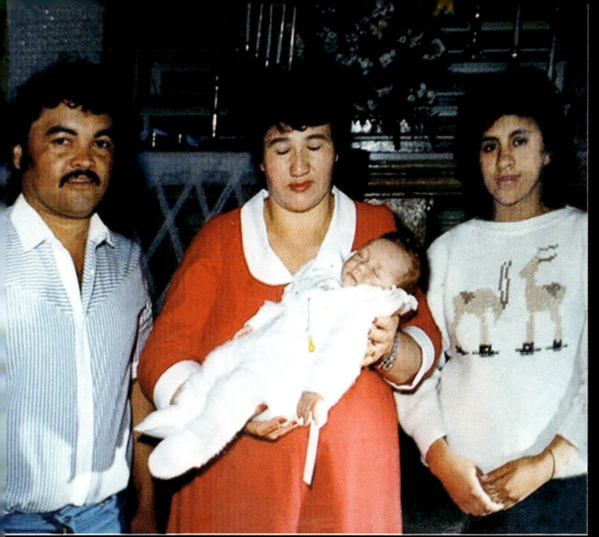

Batizado com os padrinhos Tio Guinho e Tia Maria.

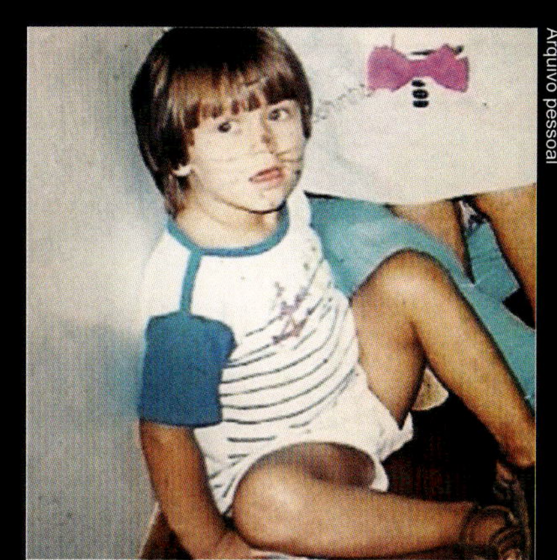

Arquivo pessoal

Os primeiros anos de vida, em Veranópolis (RS).

Arquivo pessoal

Arquivo pessoal

Já com a bola e na Primeira Comunhão.

Arquivo pessoal

Com o tio materno João Carlos Ramos, o "Kojak", principal incentivador de sua carreira.

Com o técnico Tite, que ele havia conhecido ainda criança, em Veranópolis.

Mauro Horita/ Agif/Gazeta Press

Em La Bombonera, no primeiro jogo da final da Libertadores, contra o Boca Juniors.

Daniel Augusto Jr./Agência Corinthians

Contra tudo e contra todos: a América é do Corinthians!

Fernando Dantas/Gazeta Press

Sergio Barzaghi/Gazeta Press

A maior de todas as defesas! Cássio põe para escanteio o chute de Diego Souza, do Vasco, no segundo jogo das quartas de final da Libertadores de 2012, que o Corinthians iria conquistar.

Mastrangelo Reino

Na Final do Mundial da Fifa, Cássio se estica todo para salvar o chute de Moses, do Chelsea.

Sergio Barzaghi/Gazeta Press

Recebendo o prêmio de Melhor Jogador do Mundial de Clubes, em 2012.

Comemoração de mais um título: a Recopa Sul-Americana, contra o São Paulo.

Fernando Dantas/Gazeta Press

Com a taça de seu primeiro título brasileiro, o de 2015.

Djalma Vassão/Gazeta Press

Convocado pela Seleção Brasileira.

Miguel Schincariol/Gazeta Press

Erguendo a taça de campeão brasileiro de 2017, como capitão.

Mauro Horita/Gazeta Press

O pênalti do palmeirense Lucas Lima, defendido na final do Paulista de 2018.

Final do jogo contra o Santos, pela semifinal do Campeonato Paulista de 2019.

Arquivo pessoal

Com Ronaldo Giovanelli, outro ídolo do gol corintiano.

Arquivo pessoal

Com um de seus ídolos, o colombiano Óscar Córdoba, um dos maiores goleiros sul-americanos de todos os tempos.

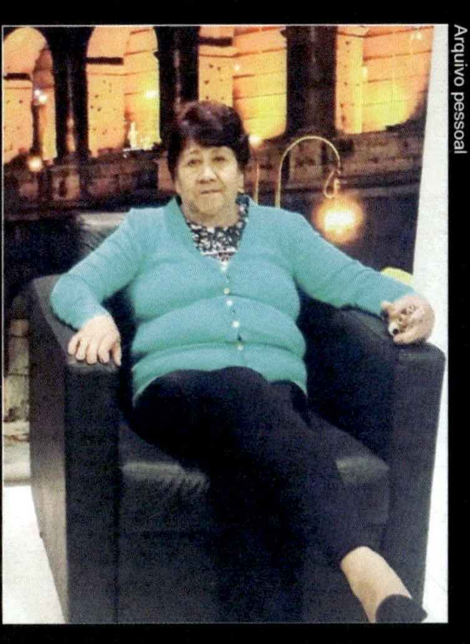

Arquivo pessoal

Dona Maria Luiza, a avó tão adorada.

Arquivo pessoal

Com as tias Rosana, Márcia, Rejane, Adriana e a mãe.

Arquivo pessoal

Amigos de infância do goleiro: Rogério, Cassio, Douglas e Gil

Arquivo pessoal

Com a mãe, dona Ciana, e os irmãos Taís e Eduardo.

Mariju, a advogada do goleiro.

Arquivo pessoal

Arquivo pessoal

Arquivo pessoal

Com a esposa, Janara Sackl, e os filhos, Felipe e Maria Luiza.

no Grupo B, atrás do Botafogo de Ribeirão Preto e do Ituano (que seria o campeão). No Brasileiro, a campanha foi frustrante: dezenove vitórias, doze empates, sete derrotas e a quarta posição. Valeu, ao menos, a classificação para a pré-Libertadores do ano seguinte.

Na Copa do Brasil, a desclassificação veio em outubro, nas quartas de final. E foi "dolorida", como define o próprio Cássio. Após fazer 2 a 0 no Atlético-MG, no primeiro jogo, em São Paulo, a equipe saiu na frente também no Mineirão, com um gol de Guerrero logo aos 5 minutos. A certa altura daquele jogo, o Corinthians, que tinha uma das defesas mais sólidas do país, só ficaria fora das semifinais caso sofresse quatro gols em pouco mais de uma hora de bola rolando. Mas o que parecia impossível aconteceu, pela cabeça do atleticano Luan, aos 25 minutos do primeiro tempo, pelos pés de Guilherme, aos 32 do primeiro e aos 30 do segundo, e também pela cabeça de Edcarlos, aos 43 do segundo tempo. Final: Atlético 4 a 1 e Corinthians desclassificado.

— Na saída do gramado, eu dei uma das minhas piores declarações no Corinthians. Falei que tinha jogador que não estava preparado pra jogar no clube. De cabeça quente, falei isso, e me arrependo muito de ter falado, porque nessa situação não tenho que expor ninguém. Tenho que tentar defender meus companheiros, por mais que tenha acontecido isso ou aquilo, ou de eu ter uma opinião própria sobre o jogo. É errado, aprendi muito com esse erro. Acho que me fez evoluir.

Sobraram críticas, também (essas, vindas de todos os lados), para o técnico Mano Menezes. Ao contrário do que Levir Culpi, do Atlético, fez com Diego Tardelli, Mano preferiu não escalar os titulares Gil e Elias, que, assim como o atleticano, haviam jogado no dia anterior pela Seleção Brasileira, contra o Japão. Elias até chegou a entrar em campo durante a partida, mas, no final de 2014, o contrato de Mano Menezes não seria renovado. Estava aberto o caminho para a volta de Tite ao Corinthians.

— **Na realidade, 2014 foi um ano de muita pressão, porque a gente não havia conseguido a vaga na Libertadores. Mas também de festa, com a inauguração da Arena antes da Copa do Mundo**. Aliás, se eu tivesse tido uma sequência, acho que poderia ter ido para aquela Copa, que foi disputada no Brasil. Eu tinha muita chance, era campeão mundial, e o Brasil não tinha um goleiro titular. Foi quando o Felipão botou o Júlio César, mas até ali não tinha um goleiro.

Em 2015, Cássio já estava plenamente recuperado e o técnico Tite, de volta ao Corinthians. Com eles, o time começou o ano voando. Principalmente na Libertadores, passando sem maiores dificuldades pelo mata-mata preliminar contra o Once Caldas, da Colômbia (4 a 0 em casa, 1 a 1 fora). Na fase de grupos, classificou-se por antecipação, em primeiro lugar, jogando contra o São Paulo, o San Lorenzo, da Argentina, e o Danubio, do Uruguai. No Paulista, o Timão teve bons momentos, como o clássico de 8 de fevereiro contra o Palmeiras, quando conseguiu ganhar por 1 a 0 em pleno Allianz Parque, mesmo com um homem a menos desde os 13 minutos do segundo tempo, quando o próprio Cássio levou o segundo cartão amarelo e, em seguida, o vermelho, por fazer cera. Ou o jogo de 8 de março, 1 a 0 no São Paulo, no Morumbi, em que Cássio defendeu mais um pênalti cobrado por Rogério Ceni, garantindo ali a vantagem no placar. Apesar de invicto naquele Paulista, o Corinthians acabou caindo nos pênaltis, na semifinal em jogo único diante do Palmeiras, na sua arena, após o empate por 2 a 2.

— Começou aquele negócio: "O Cássio não pega pênalti... Vai pros pênaltis, ele não pega". E a gente acabou sendo eliminado no Paulista.

Na Libertadores, a campanha foi ótima até as oitavas de final, quando o Corinthians se viu surpreendido pelo Guaraní, do Paraguai. No primeiro jogo, em Assunção, derrota por 2 a 0. "Falhei feio", admite Cássio ao lembrar o primeiro gol, em que deixou a bola escapar para as redes após cobrança de falta de Santander. No jogo de volta, seria preciso pelo menos devolver a diferença para levar a decisão aos pênaltis, mas Fábio Santos e Jadson foram expulsos e o Guaraní, em um contra-ataque já nos acréscimos, ainda acabou ganhando por 1 a 0.

— No Corinthians, quando as coisas deram certo, quando eu fui campeão, tudo estava em sintonia. Tudo tinha uma sintonia de envolvimento de todos. E a gente sabe quando alguma coisa não está certa aqui ou lá, quando as coisas não estão nessa sintonia.

Então, aí, a gente acabou sendo eliminado na Libertadores e foi pro Brasileiro.

O título brasileiro de 2015 acabou sendo a coroação de uma campanha que chegou a 24 vitórias, nove empates e apenas cinco derrotas, com 71 gols marcados e 31 sofridos — 29 deles por Cássio, o goleiro menos vazado daquele Brasileirão. Ele só esteve ausente, substituído por Walter, em três jogos: nas vitórias por 1 a 0 sobre o Atlético-MG (machucado) e 3 a 0 sobre o Vasco (suspenso), ambas em casa, e na derrota por 0 a 2 para o Sport, no Recife, na penúltima rodada, quando o time já era campeão e Cássio foi poupado. Além disso, na vitória por 3 a 0 sobre o Flamengo, em pleno Maracanã, o Gigante, contundido, não voltou para o segundo tempo, sendo substituído pelo seu reserva imediato.

— A gente começou mal aquele Brasileiro. Lembro que perdemos para o Palmeiras em casa *[0 a 2]*, com a torcida protestando, e fomos jogar contra o Grêmio em Porto Alegre. Em cinco minutos estava 2 a 0 pro Grêmio. Perdemos de 3 a 1 e fomos jogar muito pressionados contra o Joinville, em Santa Catarina. Aí, ganhamos naquele estilo Corinthians, 1 a 0, gol do Jadson e pressão, bola na trave. Nós tínhamos chance de matar o jogo e não matamos, mas, enfim, ganhamos. Dali em diante, tudo fluiu.

E Cássio contribuiu muito para que as coisas passassem a fluir naquele Brasileiro. Nos acréscimos do último jogo do primeiro turno, contra o Avaí, em Florianópolis (vitória por 2 a 1, de virada, que permitiu ao Corinthians fechar a parte inicial do campeonato na primeira colocação), ele praticou uma sequência de quatro de seus já costumeiros milagres. Primeiro, espalmando sensacionalmente para fora um chute colocado no ângulo por Jéci. Na cobrança daquele escanteio, foi buscar uma bola cabeceada em seu canto inferior esquerdo, rebateu um chute à queima-roupa e, em seguida, encaixou outra finalização de Jéci, de dentro da pequena área.

No segundo turno, nos 3 a 0 sobre o Cruzeiro na Arena Corinthians, Cássio salvou um chute cara a cara de Leandro Damião quando o jogo ainda estava 0 a 0. Nos 3 a 1 sobre a Chapecoense, em Chapecó, chegou a evitar aquele que seria o gol do empate em 2 a 2, logo no começo do segundo tempo, defendendo uma cabeçada de Camilo desferida na pequena área. Nos 3 a 3 com o Palmeiras, o arqui-inimigo, jogando em casa, chegou a estar três vezes à frente no placar. Cássio, porém, garantiu o empate, colocando para escanteio uma cabeçada de Leandro Almeida no último lance do jogo. Na partida que praticamente decidiu o título — 3 a 0 contra o Atlético, em Minas —, o Corinthians abriu uma diferença na liderança de onze pontos em relação ao próprio Galo, quando faltavam apenas cinco rodadas para o final do campeonato. Naquele dia, Cássio foi, segundo a avaliação do *Diário Lance!*, o "símbolo da perfeição defensiva que anulou as principais jogadas atleticanas, principalmente pelo alto". Não por acaso, acabou eleito para a seleção do prêmio

Craque do Brasileirão, promovido pela CBF em parceria com a Rede Globo.

— O Luciano vinha muito bem, mas se machucou. O Love precisava de um tempo pra se adaptar, porque estava há muito tempo na China. Voltou, se adaptou e teve uma sequência muito boa. Renato Augusto e Jadson muito bem, a linha defensiva muito, muito preparada. E o Tite de volta. Eu acho que todo mundo que jogou naquele ano foi muito bem, inclusive os meninos que entravam, como Malcom, Arana... Depois, a gente conseguiu ganhar um clássico por 6 a 1 do São Paulo pra fechar com chave de ouro. Pena que aquele time nunca mais jogou junto, né? Porque saiu um monte de gente. Até eu quase saí *[risos]*.

S.C. CORINTHIANS PAULISTA
1910

Capítulo 13

A QUEDA DO GIGANTE

CT do Corinthians, 19 de maio de 2016

"VAMOS LÁ NA SALA DO TITE, que ele quer falar com a gente." Era Mauri Lima, o preparador de goleiros, quem chamava Cássio. Na tal conversa, o técnico foi direto: "Eu vou dar continuidade pro Walter no próximo jogo. Agora é a vez dele, *tu vai* ficar no banco".

No domingo, 15 de maio, o Corinthians havia estreado no Campeonato Brasileiro em jogo contra o Grêmio em sua arena: empate por 0 a 0 com Walter no gol. É que, dois dias antes, na sexta-feira, 13, dona Maria Luiza, a avó de Cássio, falecera em Veranópolis.

— Minha avó foi uma pessoa muito importante pra mim, se não a mais importante. Sempre fui muito apegado a ela. Eu tenho muitas lembranças lá do começo, eu vi o que a gente passou, o quanto minha avó trabalhou pra botar comida na mesa, assim como minha mãe, minhas tias, meus tios. Minha avó sempre foi muito batalhadora, o tipo de pessoa que não ficava olhando, que arregaçava as mangas e ia pro trabalho, não interessava o que fosse. Lembro que, antes de ela falecer, o médico pedia pra ela repousar, repousar... E um dia minhas tias a pegaram na horta capinando, porque não conseguia parar. Sempre foi a chefe da família, tinha o respeito de todos. Sempre foi uma mulher muito batalhadora. Nunca pedia nada. Uma vez, ela queria pagar umas contas, dei o dinheiro e ela começou a chorar. Só vinha pra São Paulo quando minha mãe vinha junto. Pra mim, foi muito duro vê-la do jeito que estava no hospital, onde pegou uma bactéria e morreu.

Dispensado do treino do sábado e da concentração para que pudesse viajar ao Sul e acompanhar o enterro da avó, Cássio sabia que seria substituído por Walter no jogo contra o Grêmio. Mas não imaginava que dali em diante perderia a posição.

– Uma coisa me deixou muito chateado: quando o Mauri foi me chamar, disse que não sabia o que o Tite queria falar com a gente. "Eu não sei o que é." Lógico que ele sabia. Isso foi uma coisa que no momento me magoou muito.

Depois de conhecer a fama, Cássio passou a se relacionar com um grupo que frequentava sua casa. O goleiro promovia festas para, às vezes, dezenas de pessoas. Todas as despesas, é claro, corriam por conta dele, que por isso passou a não ter controle sobre a própria vida financeira.

– Teve situações em 2014, 2015 em que eu acordava e minha casa estava cheia de gente que eu nem conhecia. Eram situações de eu acordar à noite, ter feito festa na minha casa e não saber quem estava lá. A casa cheia de gente, bebida, festa... É muito difícil o cara se dar conta disso. É a questão de, de repente, *tu achar* que pode fazer tudo. *Tu pode* fazer festa, *tu não se prepara* pra semana de jogos, não se prepara pro jogo. Aí *tu vai* no jogo, *tu joga* bem e fica na cabeça: "Ah, eu fiz festa, eu tô jogando bem, então as coisas estão funcionando bem".

Ana, a pessoa que sempre trabalhou com ele desde que chegou a São Paulo, "que é como se fosse da família", até chorava quando se encontrava com a mãe do goleiro, porque sabia de tudo que estava acontecendo e não podia ajudar. Via as pessoas se aproveitando dele e sofria por isso.

— No entanto, nunca deixei de treinar, apesar de chegar cansado.

Não por acaso, 2016 foi o ano em que, proporcionalmente, ele menos atuou pelo Corinthians: apenas 45 vezes — para efeito de comparação, em 2015 Cássio havia feito 63 jogos e em 2017 faria 67. Mesmo a possibilidade de se transferir para o Besiktas, da Turquia, naquele início de 2016 (que acabou não se concretizando), foi comemorada com despedidas. Assim mesmo, no plural, pois foram nada menos que três.

— Era uma coisa legal pro Corinthians, era legal pra mim também. Só que nunca chegava um documento garantindo o meu salário. E os times turcos são difíceis nisso. Eu não ia arriscar sair sem garantia, nem o clube ia se arriscar a me liberar.

O prazo limite para a definição da negociação era o início da Florida Cup, nos Estados Unidos, em janeiro, da qual o Corinthians participou na pré-temporada de 2016. Como o negócio não deu certo, Cássio acabou integrando-se ao elenco nos Estados Unidos. Com a cabeça na transferência que não ocorreu, não havia treinado nem se preparado.

— Não ter feito uma pré-temporada boa me atrapalhou muito naquele ano. Fui direto pra Florida Cup e aí já começaram os campeonatos.

O time que havia sido campeão brasileiro em 2015 nunca mais jogou junto. De uma só vez, naqueles primeiros dias de 2016, saíram Gil, Ralf e Renato Augusto, todos para a China, e Vágner Love e Malcom, que foram para a França. Cássio permaneceu como o titular do gol nas campanhas do Campeonato Paulista (em que o Corinthians foi mais uma vez eliminado em sua arena na semifinal, após disputa de pênaltis, agora pelo Grêmio Osasco Audax) e da Libertadores (da qual a equipe acabou desclassificada pelo critério dos gols marcados fora nas oitavas de final, ao empatar em casa com o Nacional do Uruguai, por 2 a 2, após um 0 a 0 em Montevidéu). A partir dali, o Gigante deixou de ser a unanimidade das temporadas anteriores.

Após o comunicado de Tite e já a caminho de casa, Cássio ainda encontrou equilíbrio suficiente para mandar uma mensagem de áudio a Walter, dizendo: "Meu problema não é contigo, não. Meu problema é com o Tite. Não concordo com a situação, mas o que *tu precisar* de suporte, eu vou tentar te ajudar, vou tentar fazer o melhor. Vou te respeitar porque é o teu momento". Também criticou o preparador de goleiros Mauri Lima em uma entrevista ao jornalista Benjamin Back.

— Falei que ele podia ter me ajudado. Fui muito infeliz, também, ao dizer que esperava que "não morresse mais ninguém", por ter perdido a posição após acompanhar o enterro da minha avó. Mas o tempo foi passando e eu fui botando a minha cabeça em ordem. O Fabrício, preparador físico, foi um cara que falou: **"Olha, Cássio, sei que é um momento difícil, sei que *tu tá* puto. Mas vamos treinar, cara. Não baixa a guarda".**

Em sua defesa, Mauri Lima, na época, alegava que "não tinha por que avisar que Cássio estava mal. Todo mundo estava vendo". Hoje, no entanto, Mauri reconhece que deixou Cássio "um pouco de lado", mas "também tinha que me preocupar com quem queria". E não faltava quem quisesse, pois até Matheus Vidotto, então terceiro goleiro, chegou a jogar no início da temporada. Por fim, Mauri faz um mea-culpa: "Não foi só ele que errou. Eu podia ter falado de uma forma diferente. Podia estar cobrando errado, acelerando um processo, *[e poderia]* ter pego um momento diferente pra poder conversar".

Os dois deixaram de se falar, embora continuassem treinando juntos. Mal se cumprimentavam, mas, nos treinamentos, segundo o goleiro, continuava tudo igual, pois "o Mauri sempre foi muito profissional". O preparador de goleiros, até hoje, também não economiza elogios a Cássio: "Tecnicamente, ele é excelente. Mas tem sempre que trabalhar no limite, por causa da questão física, por causa da questão de altura, por causa da questão do peso que às vezes ganha. Quanto mais alto, mais lento você fica. Então, tem que fazer os trabalhos específicos para manter acesa a chama da velocidade, da agilidade. Se você diminui esse tipo de trabalho, caem a sua velocidade e a sua agilidade. Foi isso que aconteceu com ele naquela época".

A reserva de Cássio durou apenas oito partidas, até a derrota do Corinthians para o Fluminense por 1 a 0, em Brasília, quando Walter se machucou. O Gigante, então, entrou em seu lugar no intervalo, pegou mais um pênalti (cobrado por Cícero) e voltou a ser o titular. Naquela noite, Tite, convidado para assumir a Seleção Brasileira, já não era mais o técnico do Corinthians. Fora substituído pelo então interino Fábio Carille, que, nos jogos seguintes, daria lugar a Cristóvão Borges.

— Sempre me questionam: "Ah, mas como é que ficou entre *tu* e o Tite? Vocês se acertaram?". Na verdade, nunca teve uma briga. Eu acho que o que houve foi uma briga de pai pra filho, sabe? Eu já chorei na frente dele, com problemas particulares. Eu tenho meu filho, o Felipe, que mora no Sul. No começo, era bastante difícil ir vê-lo lá, e teve um dia que fui falar com o Tite sobre isso. Entrei na sala e ele simplesmente disse pra mim: "Pode falar, pode desabafar". Aí, comecei a chorar na frente dele. O Tite sempre mandava recados pelo Luciano *[Luciano Signorini, assessor de imprensa de ambos]*: "Pede pra ele se cuidar fora de campo, pra ele se alimentar bem, pra se cercar de pessoas que querem o bem dele, pra tomar cuidado com quem ele coloca dentro de casa...". Eu jamais conseguiria ficar de cara feia pro Tite. Porque, por mais que naquele momento eu ficasse bravo ou frustrado, ele é um cara que me ajudou muito. O Luciano também! Ele é meu assessor de imprensa desde que cheguei no Corinthians. A gente conversa pelo menos uma vez por semana e seus conselhos me ajudam a ser um profissional melhor. Tenho muito carinho e respeito por ele.

Foi diante de Tite, pouco antes de ele ir para a Seleção, que Cássio assumiu que estava errado.

– Lembro que o Tite até falou: "Olha, eu vim armado, porque pensei que vinha pedrada, então eu já *tava* pronto". Mas, aí, eu falei: "Professor, eu perdi minha posição por culpa minha, foi erro meu. Vou tentar fazer de tudo pra buscá-la de volta, com todo o respeito ao Walter, mas eu quero". O Tite é um cara que não dá pra *tu discutir* com ele. Porque ele não vai te falar, ele mostra. E ele mostrou: "Olha aqui teu peso. *Tu não sabe* como foi difícil pra mim fazer isso. Mas eu não estou fazendo porque quero te castigar, eu estou fazendo isso pro teu bem. Então, *tu tem* que se cuidar, tem que melhorar". Aí, o Tite foi pra Seleção, e lembro até que o cumprimentei por isso.

Cássio também se acertou com Mauri. Eles se sentaram, conversaram, expuseram tudo de que não gostavam um no outro. Cássio disse ao preparador: "Quero que você me ajude". E a resposta foi: "Eu vou ajudar, mas você tem que se ajudar também. Eu vou fazer tudo da melhor maneira possível, porque pra mim o teu lugar é na Seleção Brasileira. Se você quiser pegar do jeito que a gente sempre pegou, você vai chegar lá. E eu vou trabalhar pra você voltar a ser o que era antes. Mas você tem que querer, você tem que mudar. Você não perdeu a sua condição técnica. Pode voltar a ser o Cássio que era. Então, vamos trabalhar pra chegar onde eu quero que você chegue, que é uma Seleção Brasileira".

Três anos depois, em 2019, os dois voltaram a se encontrar na Seleção de Tite e foram campeões juntos pela sexta vez, agora da Copa América. No campo de treino da Granja Comary, Mauri teve a oportunidade de dizer: **"Estou muito feliz de estar aqui contigo. Estava com saudade disso, estava com saudade de você".**

Quando perguntado sobre a sorte que acompanha o Gigante nos momentos decisivos, Mauri Lima é definitivo: "Predestinado? Eu acredito é no trabalho. No querer. No buscar. Cássio não tinha conquistado nada, nem na Holanda estava jogando, e aqui ganhou tudo o que ganhou, mas ganhou com o trabalho, correndo atrás do prejuízo, pelo tempo que havia perdido. É um cara diferenciado. Pode errar hoje, mas amanhã a decisão vem e ele está ali. É um cara que nas decisões cresce. O que explica isso? Às vezes, o psicológico;

às vezes, o erro traz uma condição de ter que ser diferente no outro jogo, de estar mais focado. Cássio é um cara que faz a diferença no momento crucial. A gente fala: 'Pegou a bola do jogo'. Mas, pra poder fazer essa defesa, antes você tem que estar bem trabalhado, bem treinado, acreditar no que está fazendo, com a cabeça boa".

Para Mauri Lima, no futebol brasileiro, Cássio pode ser colocado no rol dos maiores. E com todo o respeito que ele deve a todos os goleiros que o Corinthians já teve — citou Gilmar, Ronaldo, Tobias, Dida, Solito e Solitinho —, o Gigante é, sim, o maior goleiro da história do clube. **"Acho difícil que surja um outro goleiro com tanto sucesso como ele teve, que ganhe tantos títulos como ele ganhou, que seja tão importante nas horas decisivas como ele foi, independentemente do número de jogos que venha a fazer, dos recordes que venha a bater."**

Quando Mauri deixou o Corinthians para acompanhar o técnico Fábio Carille em sua rápida passagem pelo futebol árabe, em meados de 2018, Cássio fez questão de postar da Rússia, onde disputava a Copa do Mundo como terceiro goleiro da Seleção Brasileira, a seguinte mensagem em sua página no Instagram: "Quero aqui desejar todo o sucesso do mundo para uma pessoa que foi fundamental para que eu estivesse hoje onde estou e pudesse ter conquistado tantas coisas em minha profissão. Mauri, foram seis anos e meio de muita convivência, lições, aprendizado, luta e amizade. Espero que você siga sua carreira de maneira brilhante nesse novo desafio. Cresci muito como pessoa e como profissional trabalhando a seu lado. Que Deus siga te abençoando e meu MUITO OBRIGADO por tudo. Um grande abraço, Mauri".

— Quando eu perdi minha posição... A gente não consegue olhar pra si próprio ainda. Você consegue só achar defeito nos outros. No Mauri, no Tite. Não consegue olhar pra si.

Mas as outras pessoas conseguiam, e foram elas que começaram a alertar Cássio sobre tudo o que estava errado em sua vida. Sobre a necessidade de mudar hábitos. Na época, ele ainda morava sozinho, mas já conhecia Janara, sua futura esposa, e ela começou a vir mais vezes de Blumenau, Santa Catarina, onde morava, para São Paulo.

— Foi a Janara que começou a falar pra mim, mas eu ainda não escutava: "Ah, tem que se cuidar mais, tem que se alimentar melhor, tem que se preparar melhor pro jogo. Tá passando o tempo, você já não tem 23 anos, 24 anos, tá chegando a idade". E eu, nada.

Até o final de 2016, o Corinthians foi treinado por Cristóvão Borges e, depois, por Oswaldo de Oliveira. No Brasileiro, não passou do sétimo lugar, com quinze vitórias, dez empates e treze derrotas. Quando Cristóvão chegou, aliás, Cássio recebeu uma proposta para retornar ao Grêmio.

– Hoje *tu vê* que não era pra acontecer. Acho que poderia, de repente, ter acabado minha carreira ali ou eu ter me afundado mais se tivesse ido pra lá.

Carlos Leite, o empresário, também achava isso e não queria que Cássio fosse. Achava que seria "um erro". Mesmo assim, perguntou: "*Tu quer* ir? Então vai falar pro presidente". E Cássio falou para Roberto de Andrade, o então presidente corintiano.

A proposta do Grêmio era de cerca de 2,5 milhões de euros. Cássio não tinha conversado ainda sobre quanto ia ganhar, mas, almoçando em um restaurante com um amigo do Sul chamado Samuel, chegou a dizer: "Pode falar pro presidente que eu quero ir pro Grêmio". O empresário Carlos Leite continuou não querendo que ele fosse. Achava que tinha que dar a volta por cima no próprio Corinthians.

Na volta daquele encontro, na copa do Corinthians, Cássio encontra Andrés Sanchez fumando um cigarro. O dirigente, na época, não ocupava nenhum cargo, mas seguia com muita influência dentro do clube. Ele, que nunca aparecia por lá naquele horário, estava esperando Cássio. Chamou o goleiro em uma sala e disse: "Ó, eu preciso falar contigo. Preciso de você aqui. No ano que vem, se *tu quiser* ir embora, eu te libero. Mas agora eu preciso".

— Aí eu pipoquei, né? *[Risos.]* Porque ele foi um cara que me ajudou muito, apostou muito em mim, tomou muita pancada por isso. É um dos caras que eu respeito muito, sempre foi franco comigo.

Com a contusão de Walter, Cristóvão, o novo técnico, voltou a escalar Cássio. Mas o Gigante também sentiu dores no ombro esquerdo após uma vitória por 1 a 0 sobre o Fluminense, pela Copa do Brasil, e Walter retomou a posição. Àquela altura, o treinador passou a ser Oswaldo de Oliveira, que chamou Cássio em sua sala para dizer que, de início, optaria por Walter. No entanto, prometeu: "Quero que *tu se prepare* bem pro ano que vem. Acho o Walter um grande goleiro, *tu também é*, mas, se *tu voltar* bem, voltar preparado, pra mim não tem dúvidas que *tu é* meu goleiro, *tu vai ser* o titular. Eu só quero que *tu me ajude*".

— Acho que o Oswaldo e o Cristóvão foram os únicos treinadores que eu não consegui ajudar. Eu não estava em um bom momento, não estava com a cabeça em sintonia, não conseguia ajudar. Poderia ter ajudado melhor esses caras, mas não consegui dar o respaldo que eles mereciam.

Cássio voltaria a fazer apenas uma das últimas catorze partidas do Corinthians naquele ano, justamente na goleada por 0 a 4 sofrida para o rival São Paulo, no Morumbi. Àquela altura, ele e a noiva, Janara, já se preparavam para fazer uma viagem de férias que mudaria definitivamente a vida dos dois.

O Campeão dos Campeões

Capítulo 14

UM NOVO CÁSSIO PARA UM NOVO CORINTHIANS

Las Vegas (EUA), 13 de dezembro de 2016

"AFINAL, O QUE VOCÊ QUER DA SUA VIDA?" Quem fazia essa pergunta, tão franca quanto direta, era Janara Sackl, hoje esposa de Cássio. Haviam se conhecido não muito tempo antes, via redes sociais. Ele, já ídolo do seu clube; ela, uma corintiana doente de Blumenau e "fã número um" do goleiro. Começaram a conversar com certa frequência. Depois, marcaram um encontro. Acabaram se conhecendo melhor. Agora, embora com um atraso de uma semana por conta do acidente aéreo que envolveu o time da Chapecoense — e que, consequentemente, adiou as férias do futebol no Brasil —, eles estavam noivos e viajavam juntos primeiro para Las Vegas, depois para Nova York.

— Aquela viagem foi muito boa, porque fomos só eu e ela. A gente conversou sobre muitas coisas, sobre o que eu queria ou não queria. Acho que ali comecei de verdade a ver o que eu queria, mesmo, pra mim.

Já na volta das férias, em janeiro de 2017, Cássio apresentava peso abaixo do seu normal, que era de no máximo 103 quilos. O percentual de gordura também se encontrava próximo dos almejados 12%. Em sua melhor época, ele chegou a ter entre 10 e 11%. Na pior, 18%. Para o preparador de goleiros Mauri Lima, Cássio encomendou: "Eu quero aquela mesma pegada pra gente retomar".

— **Fiz uma coisa que nunca tinha feito antes: treinar nas férias. Eu treinei, treinei muito nas férias. Passei até fome.** Geralmente, nas férias, a gente se larga um pouco mais. Já estava aquele negócio de diminuir na bebida, que já não estava me agradando. Não era mais o que eu queria. Aí, comecei a diminuir e a treinar. Lembro que, quando cheguei no CT, todo mundo levou um susto. Porque todo mundo chega um pouco gordo, e eu cheguei magro. Cheguei bem fisicamente, até o pessoal da imprensa falava: "Pô, mas você chegou bem, está bem fisicamente".

O Corinthians também estava mudado. Para o lugar de Oswaldo de Oliveira, demitido após o fraco final de ano no Campeonato Brasileiro, havia sido efetivado o auxiliar Fábio Carille, treinador das defesas corintianas desde os primeiros tempos de Mano Menezes no clube.

— O Fábio a gente já conhecia, eu até já tinha bastante intimidade com ele. Um cara superbacana, bem trabalhador. A gente acabou perdendo a Florida Cup pro São Paulo, mas já via que tinha um ambiente bom se formando ali.

Carille chamou Cássio e disse: "Olha, por lógica e pela situação, se o Walter estivesse bem, eu ia começar com ele como titular. E *tu ia* começar no banco. Mas o Walter, infelizmente, teve um problema físico *[machucou a costela e nem pôde viajar para a disputa da Florida Cup, nos Estados Unidos]*. Por isso, *tu vai* voltar, *tu vai* começar como titular, por mérito".

– Lembro que falei pra ele: "Fábio, ok, tá bom e eu respeito. Só que é o seguinte: *tu passa* confiança pra quem for o titular, eu ou o Walter. Porque, em 2016, em alguns jogos a gente não sabia quem era titular e quem era reserva, quem ia jogar e quem não ia". O Fábio entendeu e me deu confiança a partir daquele momento.

Cássio, então, reassumiu o seu posto e foi bem, inclusive defendendo um pênalti, cobrado pelo são-paulino Araruna, na decisão em cobranças alternadas vencida pelo rival tricolor após empate por 0 a 0 no tempo normal. Na volta, o técnico conversou com Walter, que entendeu a situação. "Eles se gostam, se respeitam, cada um sabe do potencial que o outro tem", disse Carille à época. "No Brasil, ninguém tem dois goleiros como tem o Corinthians." Assim, Cássio retomou definitivamente seu lugar entre os titulares, do qual só sairia para servir a Seleção Brasileira: primeiro, nas Eliminatórias e como um dos goleiros na Copa do Mundo disputada na Rússia, em 2018; depois, para conquistar a Copa América, jogada no próprio Brasil, em 2019.

Também naquele início de 2017, levados pelo casal Fabíola e Vilson (ex-zagueiro, depois gerente de futebol do Corinthians), Cássio e Janara começaram a frequentar a Igreja Voz da Verdade.

— Eles convidavam, convidavam... Até o Vilson relatou duas vezes que ficou me esperando na porta da igreja em 2016 e eu não apareci *[risos]*. A Janara tinha vindo morar comigo em São Paulo. Aí, na festa de aniversário da filha do Felipe Bastos, ela se comprometeu e decidimos ir.

Cássio já havia frequentado tanto a igreja católica quanto a evangélica. Janara, até então, era católica. Atualmente, o casal frequenta os cultos todas as segundas-feiras. Cássio converteu-se e não bebe mais nenhum tipo de álcool. Junto com o rock, de que sempre gostou, passou a ouvir também música gospel. Hoje, após o batismo ocorrido em julho de 2017, ele se define como um "convertido". A importância que o casal dá à religião pode ser medida pela postagem de Janara em sua conta no Instagram, quando Cássio foi convocado para a Copa do Mundo de 2018: "Deus te honrou devido à sua mudança de vida e sua obediência a Ele, por isso, estamos alegres com a sua conquista! Te amo e vou morrer de saudades! Orgulho de saber que você está entre os 23 melhores atletas profissionais do futebol brasileiro".

Janara foi o principal fator dessa metamorfose. É ela quem, efetivamente, cuida dele. Cuida do que ele come em sua dieta balanceada, cuida se ele dorme. **"Hoje ele tem uma estrutura familiar efetivamente tranquila, e tudo isso ele deve à Janara. Ela foi essencial para que o Cássio se estruturasse como homem e pai de família"**, diz a advogada Mariju.

O próprio Cássio reconhece que, naquele início de 2017, o Corinthians "não tinha perspectiva de nada". Tanto que, no Campeonato Paulista, era considerado, a princípio, a "quarta força", atrás de Palmeiras, São Paulo e Santos. Até que chega o Dérbi na Arena Corinthians, pela sexta rodada, em uma noite de quarta-feira, 22 de fevereiro. Campeão brasileiro de 2016, o adversário havia se reforçado ainda mais para aquele início de temporada, com nomes como o volante Felipe Melo, o meia venezuelano Guerra e os atacantes Willian e Keno, além do técnico Roger Machado, que substituía o campeão Cuca. No Corinthians, além do ainda desconhecido zagueiro Pablo e do volante Gabriel, ex-Palmeiras, a maior novidade era o atacante Jô, de volta e em recondicionamento físico desde o final do ano anterior, mas ainda na reserva de Kazim, inglês naturalizado turco. Ainda no final do primeiro tempo, o árbitro Thiago Duarte Peixoto dá o segundo cartão amarelo e acaba expulsando Gabriel por engano, pois quem cometera a falta no lance tinha sido Maycon, que não estava amarelado. Mesmo assim, deu Corinthians, 1 a 0, gol marcado aos 42 minutos do segundo tempo por Jô, que havia acabado de entrar no lugar de Kazim.

— Eu acho que aquele jogo contra o Palmeiras foi o que fez o time engrenar, subir, ganhar confiança, ganhar corpo. Todo mundo dizia que ia ser 3 a 0, 4 a 0, "vai ser goleada"... E ganhamos com um homem a menos! Não foi bom só pro time, mas para o Jô também, que depois daquele jogo engrenou, pegou uma sequência.

Sequência que levaria o Timão ao título paulista, e Cássio, pela primeira vez, à condição de capitão em uma tarde em que a equipe ergueu a taça, empatando o segundo jogo da decisão com a Ponte Preta por 1 a 1, na Arena Corinthians, após ter vencido em Campinas por 3 a 0.

– Aí a gente deslancha. Começa a ganhar, ganhar, ganhar, tudo vai fluindo bem. O time vai ganhando corpo. A gente foi campeão paulista jogando bem, muito bem.

Na Copa do Brasil, se o time não chegou às oitavas de final não foi por culpa de Cássio. Nas cobranças alternadas, após dois empates por 1 a 1 contra o Inter, em jogo disputado na Arena Corinthians, ele defendeu mais um pênalti, cobrado por Leo Ortiz, mas a equipe acabou eliminada. Então, chegou o Campeonato Brasileiro, e em uma reunião o técnico Fábio Carille propôs aos jogadores a estratégia para aquela competição: "Nós vamos pensar jogo a jogo ou vamos pensar por etapas? Vamos pensar jogo a jogo! Não adianta a gente ficar pensando e fazendo projeção: 'Ah, de cinco jogos tem que fazer dez pontos...'. Vamos pensar jogo a jogo".

O time estreou mal, só empatando, em casa, com a Chapecoense, em 1 a 1. Mas depois começou a subir na classificação: 1 a 0 no

Vitória e no Atlético Goianiense, ambos os jogos fora de casa; 2 a 0 no Santos em casa; 5 a 2 no Vasco, jogando no Rio; 3 a 2 no São Paulo e 1 a 0 no Cruzeiro, na volta à Arena Corinthians; 0 a 0 com o Coritiba, no Paraná, e 3 a 0 no Bahia, outra vez na Arena. Até que chegou o confronto com o Grêmio, em Porto Alegre.

Naqueles primeiros nove jogos disputados, apenas um ponto separava o líder Corinthians, com 23, do vice-líder Grêmio, que tinha 22. Jogando no estilo que consagraria o técnico Fábio Carille em seus melhores tempos, com uma defesa bem armada e aproveitando bem os contra-ataques, o Corinthians fez 1 a 0 com Jadson, aos 6 minutos do segundo tempo. Faltavam também seis minutos para o fim do próprio jogo quando o Grêmio teve a chance de empatar com um pênalti cobrado por Luan.

— Ali, o pessoal do Cifut *[Centro de Inteligência do Futebol do Corinthians]* me ajudou muito com as informações sobre o batedor. Naquele momento, entra a situação do canto de confiança. O cara, com 1 a 0 pra gente, final de jogo em Porto Alegre, não ia querer arriscar.

Luan não arriscou: bateu à direita e Cássio defendeu. Assim como, naquele Brasileiro, ainda defenderia uma outra cobrança, de seu ex-companheiro Lucca, agora a serviço da Ponte Preta, na vitória por 2 a 0 na Arena Corinthians. Até o final do primeiro turno, seriam catorze vitórias e cinco empates. Pela primeira vez na era dos pontos corridos, inaugurada em 2003, um time terminava a primeira metade do campeonato invicto. No segundo turno, o rendimento não foi o mesmo — a equipe esteve ameaçada, até, de perder a liderança para o Palmeiras. Mas conseguiu reagir, principalmente em um jogo-chave, realizado em casa, contra o próprio rival, que o Corinthians venceu por 3 a 2.

No final, a campanha do sétimo Campeonato Brasileiro conquistado pelo Corinthians, o segundo com Cássio no gol, teve 21 vitórias, nove empates e oito derrotas (todas elas no segundo turno), cinquenta gols marcados e trinta sofridos, 29 deles com Cássio na meta corintiana. Ele só não tomou o gol do Fluminense na vitória por 3 a 1, na Arena Corinthians, justamente o jogo que valeu o título, quando foi substituído pelo jovem Caíque França. Também havia ficado fora das duas partidas anteriores, vitórias por 1 a 0 contra o Athletico Paranaense, em Curitiba, e o Avaí, na Arena Corinthians. Afinal, Cássio estava de volta à Seleção, convocado para dois amistosos: contra o Japão, na França (Brasil 3 a 1, no único jogo dele pelo Brasil até hoje, entrando no lugar de Alisson durante a partida), e contra a Inglaterra, em Londres (0 a 0).

No ano seguinte, 2018, o da Copa do Mundo na Rússia, logo em janeiro nasceu o primeiro bebê do casal Cássio e Janara, a pequena Maria Luiza, assim batizada em homenagem à avó do goleiro. Ele, que já era pai de Felipe, de 5 anos, agora tinha um núcleo familiar completo. Como só veio a conhecer o pai rapidamente, e depois de adulto, **Cássio não se cansa de dizer que a dupla paternidade foi "a maior alegria de sua vida".**

Cássio é mesmo um pai-coruja. Telefona todos os dias para Felipe em Veranópolis e fez questão que o menino estivesse com ele na Rússia durante a Copa do Mundo. Manda fotos de Maria Luiza comendo pipoca para a família e, em vez de dar bronca, resolveu filmar tudo no dia em que ela abriu a porta digital do apartamento, saiu de casa, chamou o elevador e apertou os botões. Tudo isso sozinha.

Sob contrato com o Corinthians até o final de 2022, Cássio estabilizou, também, sua vida financeira. Entre outros negócios, é sócio da irmã, Taís, na Pizzaria CR12, em Nova Prata (RS), cidade de 25 mil habitantes que fica a 15 quilômetros de Veranópolis. As paredes do estabelecimento contam a história da carreira do goleiro, principalmente por intermédio das camisas que ele vestiu, a grande maioria delas do Corinthians. "Ele deu a volta por cima, com muita dificuldade, mas hoje a gente é o que é, bem-respeitado na cidade", orgulha-se o tio Kojak. "O pessoal tem uma adoração por ele que não tem explicação."

O nome do Gigante estava na lista dos 23 convocados por Tite, ao lado de dois outros goleiros, o titular Alisson e o reserva Ederson, para a disputa da Copa de 2018. Não que não tenha havido suspense. Falava-se muito sobre quem poderia ser o terceiro goleiro, uma das posições em aberto, mas Cássio estava confiante. Em 2017, ele já havia sido chamado por seu ex-técnico no Corinthians para os jogos das Eliminatórias contra Equador, Colômbia, Bolívia e Chile. Sua esposa, Janara, estava mais confiante ainda, a ponto de organizar uma festa surpresa em casa, onde os amigos acompanharam, juntos, a divulgação da lista dos convocados pela televisão.

— Minha mulher foi bem ousada. Conseguiu trazer meu filho Felipe de Veranópolis, a Maria Luiza era bem pequenininha, veio a minha mãe, veio a Mariju, veio um monte de gente. Fiquei muito feliz, porque foi uma surpresa. Tinha uns amigos de Londrina, de Ourinhos, de Santo André, que tinham vindo no final de semana e se despedido de mim. Eles me enganaram bonito, dizendo que iam acompanhar a convocação cada um do seu trabalho. Cheguei em casa e estava todo mundo lá. Quando fui convocado, fiquei muito feliz. Passa um filme na cabeça, tudo o que eu passei, tudo o que a gente batalhou, as lutas... Chegar a uma Copa do Mundo não tem explicação. Só tenho de agradecer a Deus, mesmo. É um privilégio poder representar seu país numa Copa.

O nome de Cássio apareceu de novo na lista de Tite no ano seguinte, 2019, dessa vez para a disputa da Copa América no Brasil, afinal conquistada pela Seleção.

— Falavam que eu iria, pelas convocações. O Neto, que era o concorrente, vinha bem, também. Mas as chances eram bem grandes de eu ser convocado. Ser campeão numa Copa América é uma coisa extraordinária. Se a gente pegar um trabalho estatístico, vai ver que é pequeno o número de jogadores que tiveram oportunidade de disputar isso.

No Corinthians, a era Carille seguiu com mais dois títulos paulistas, em 2018 e 2019. Somados ao de 2017, eles totalizam um tricampeonato consecutivo, que o clube não conquistava havia 80 anos. Sempre com a participação fundamental de Cássio.

No título de 2018, na semifinal entre São Paulo e Corinthians, após uma vitória por 1 a 0 de cada um em seus respectivos estádios (a do Timão, na Arena, conseguida com um gol de cabeça de Rodriguinho já aos 48 minutos do segundo tempo), a vaga na decisão contra o Palmeiras teve que ser definida nos pênaltis. Cássio pegou dois, um de Diego Souza e outro de Liziero, e o Corinthians se classificou.

A final contra o Palmeiras teve sabor ainda mais especial: foi vencida na casa do adversário, o Allianz Parque, depois de o Corinthians ter perdido a primeira partida, em sua arena, por 1 a 0. Além disso, foi uma partida muito polêmica, já que Marcelo Aparecido Ribeiro resolveu voltar atrás após ter marcado um pênalti para o alviverde. Alegando interferência externa sobre a decisão do árbitro, o adversário foi à Justiça, mas não teve sua causa acolhida. Como o Corinthians havia feito 1 a 0 logo aos 2 minutos de jogo, com Rodriguinho, aquela decisão também acabou indo para as penalidades. E Cássio, uma vez mais, brilhou, agora pegando as cobranças dos palmeirenses Dudu e Lucas Lima.

— Aí foi o Mauri que me ajudou, porque ele ficava lá, atrás do gol, indicando o canto em que os caras costumavam chutar. O Dudu, por exemplo: uma vez, em 2015, ele bateu no mesmo lugar, no mesmo estilo, e fez o gol. Então, eu fui naquele canto, o direito, e peguei.

Na campanha do tri corintiano, em 2019, Cássio também foi decisivo. Nas quartas de final, depois de dois empates por 1 a 1 com a Ferroviária (um em Araraquara, o outro na Arena), pegou o pênalti de Thiago Santos que acabou fazendo a diferença na classificação para as semifinais, contra o Santos. Na primeira partida, na Arena, havia dado Corinthians, 2 a 1. A segunda, no Pacaembu, embora com mando de campo santista, foi talvez a maior de todas as atuações de Cássio com a camisa corintiana. Ou pelo menos aquela em que ele mais trabalhou.

O primeiro milagre foi realizado ainda no primeiro tempo, aos 21 minutos, interceptando um desvio repentino de Jean Mota após chute de Cueva que ia na direção de seu gol. Aos 26, o Gigante mandou para escanteio um tiro cruzado, pelo alto, de Sánchez. Aos 42, mais um tiro cruzado, dessa vez rasteiro, de Derlis González, que Cássio foi buscar. No segundo tempo, mais trabalho para Cássio, que espalmou outros tiros praticamente à queima-roupa de Jean Mota, Rodrygo e Diego Pituca. Tudo isso com menos de dez minutos jogados. Aos 26, Cássio tirou com a perna uma conclusão de Rodrygo da risca da pequena área. Naquela noite, Cássio só não conseguiu impedir, mesmo, o gol de cabeça de Gustavo Henrique, marcado já aos 41 minutos do segundo tempo, que acabou levando a decisão para os pênaltis. Dessa vez, ele não pegou nenhum, mas deu Corinthians do mesmo jeito, porque os santistas Kaio Jorge e Vítor Ferraz chutaram nas traves.

— Aquele jogo foi bem importante pra ajudar. Não foi muito legal o nosso futebol, também não peguei nenhum pênalti, porque estava cansado na hora das cobranças *[risos]*, não conseguia pular. O mais importante é que fomos pra final e ganhamos mais aquele campeonato.

Contra o São Paulo, na decisão, bastaram um empate (0 a 0) no Morumbi e a vitória por 2 a 1 na Arena, com um gol de Vágner Love já aos 43 minutos do segundo tempo, para garantir o tri do Corinthians — e de Cássio, titular absoluto nas três campanhas. Naquele 2019, o goleiro brilharia ainda mais uma vez, na primeira fase da Copa Sul-Americana. Corinthians e Racing tinham empatado por 1 a 1 tanto no primeiro jogo, na Arena Corinthians, como no segundo, na Argentina. Na decisão por pênaltis, deu Cássio novamente, pegando as cobranças de Dominguez e Solari, ambas no seu lado direito.

— Ali entrou a parte do Leandro *[Leandro Idalino, preparador de goleiros do Corinthians que substituiu Mauri Lima]*, que fala: "Olha, tal batedor bate assim". Ele deixa bem explicado pra me ajudar nesse sentido.

Coincidência ou não, foi naquela noite que o Gigante completou seu jogo de número 395 pelo Corinthians, igualando-se em número de atuações a Gylmar dos Santos Neves, considerado até então o maior goleiro da história do Timão.

CARTA À FIEL TORCIDA

São Paulo, 22 de outubro de 2019

FOI A PARTIR DO MOMENTO QUE ENTREI NO CORINTHIANS *que passei a ser um jogador profissional de verdade. Antes, estive no Grêmio, fui para a Holanda, joguei muito pouco. Tinha minhas dúvidas, ainda, sobre se eu seria um jogador profissional, porque tinha ficado quatro anos e meio fora do país e quase não joguei. Chego aos 24 anos, então tenho a possibilidade de vir para o Corinthians. Quando cheguei, era o terceiro, quarto goleiro. Vim apostando em tudo, não só eu como meus empresários e, na verdade, todo mundo. Era uma aposta no Corinthians. Fui atrás do meu sonho, do que eu queria. Abri mão de muitas coisas (e até hoje a gente abre mão de muitas coisas).*

Mas nunca imaginei jogar no Corinthians. E eu confesso: depois que voltei da Holanda, até fiquei surpreso quando apareceu a proposta do Corinthians. Era mais do que eu esperava. Eu saí novo do Brasil, por isso, quando comecei a ir pra jogos mesmo, no profissional, quando comecei na época do Grêmio, com 19 anos, não tinha uma dimensão do que era o Corinthians. Eu vim do Sul, quando tu conhece Porto Alegre, que é uma cidade grande, tem uma dimensão de Grêmio e Inter. Você acha que isso é o máximo. Vim de uma cidade de 23 mil habitantes, morar em Porto Alegre já foi uma grande diferença. Então, eu não imaginava como era São Paulo, como era o Corinthians. Todo mundo fala que a pressão de jogar no Corinthians é diferente, tanto para o lado positivo quanto para o lado negativo. Mas eu tinha uma coisa muito clara na minha cabeça: quando tivesse uma chance, nunca mais ia sair. E foi o que aconteceu.

O Corinthians é um clube que quem não gosta odeia, é diferente de todos. Digo isso por tudo que eu tenho vivido aqui, graças a Deus muito mais coisa positiva do que negativa. Eu já peguei momentos difíceis. Momentos de invasão ao CT. Momentos de protesto. Momentos de sair do estádio com o ônibus apedrejado, momentos de baixarem o vidro do carro pra discutirem contigo, pra te ofender. Mas também peguei momentos de ir pro Japão, de quando a torcida invadiu. De entrar em campo, em uma final de Mundial, com o estádio lotado, e parecer que você está jogando no Pacaembu, de tanta gente que havia lá.

O Corinthians é diferente porque a torcida é diferente. A torcida do Corinthians é apaixonada. Eu fico no YouTube, às vezes, vendo coisas que aconteceram, momentos como a invasão ao Maracanã, lá atrás, em 1976. Então, eu acho que a torcida do Corinthians é diferente. Quando vai ao estádio, vai pra apoiar cem por cento — e, olha, torcidas assim são raras, exceções. Ela cobra, lógico, mas durante os noventa minutos é aquela que tenta empurrar, tenta ajudar o clube a sair vitorioso. Tu vê gente da classe baixa à classe rica torcer pro Corinthians.

Você acaba se apaixonando pelo clube. Eu confesso que, quando cheguei, e acho que a partir de 2016 pra 2017, aflorou um amor mesmo, de corintiano. De viver intensamente, de se dedicar. A ponto de, se alguém falar mal do Corinthians, tu já querer brigar, já querer discutir que não é assim, já querer defender em qualquer situação. É uma coisa que aflorou muito em mim, de querer defender. Até quando o juiz erra, em alguma coisa que de repente o Corinthians possa ser beneficiado, tu querer dizer: "Ah, mas o teu time também foi ajudado lá, cara... Vem só falar do meu time?". Uma coisa de corintiano, mesmo. Uma paixão de corintiano.

No começo, quando eu vim, quando a gente ganhou a Libertadores e eu peguei aquela bola do Diego Souza, eu ficava com muita vergonha. Eu ia aos lugares, aos shoppings, naquela época, e as pessoas se ajoelhavam, se atiravam, beijavam minha mão... Quando ganhei o Mundial, eu fui ao programa Altas Horas, do Serginho Groisman, na TV Globo, e a cantora Luiza Possi, que também estava lá, se ajoelhou, começou a beijar minha mão e gritar: "Cássio, gigante!". E eu, que sempre fui muito na minha, ficava com uma vergonha...

Então tu vê como o corintianismo é abrangente. Não tem classe social. Na rua, também as pessoas se ajoelham, abraçam. Mandam imagens de tatuagens que fizeram, mandam direct pra minha esposa contando que têm filhos e botaram o nome de Cássio. A minha identificação com as crianças, então, é uma coisa que me surpreende. Crianças e idosos. Teve uma idosa que fez aniversário de 87 anos e o tema da festa dela foi... Cássio! Aí, tinha eu lá, as pessoas com a máscara que era o meu rosto. A festa Cássio, o bolo Cássio.

Sei que não tenho a exata noção do que eu represento para o corintiano. Meu mundo é: "joga, vai pra casa; treina, vai pra casa". Quando eu não estou no Corinthians, eu estou com a minha família, com a minha esposa, então tento me desligar um pouco do clube. Não tenho a exata dimensão, mas já vi tantas coisas que me impressionam, o carinho que as crianças têm por mim. Até mesmo quando a gente vai no CT é uma multidão de crianças. Elas vêm, abraçam, você vê que é um amor verdadeiro, um carinho verdadeiro. É muito gratificante isso.

Tinha um menino que não andava, tinha problema nas pernas, e eu falei pra ele: "Quando tu melhorar, vem aqui pra gente bater um pênalti. Você vai treinar comigo, vem aqui me visitar, a gente vai bater um pênalti". E não é que o menino melhorou? Ele melhorou de quase andar, fez uma cirurgia, foi lá no CT andando quase perfeitamente, superbem. Às vezes, a gente não tem noção de coisas como essa.

Tem um outro menino, de um bairro lá de perto do estádio, que estava no hospital. As pessoas davam no máximo mais uma semana de vida pra ele, uns dez dias. Fui lá, levei luvas, até brinquei com ele: "Quando você melhorar, vou jogar videogame com você". Entrei em férias e, depois de um tempo, recebi um áudio dele, dizendo que estava ficando bom e dali a pouco iria ao CT. Isso, hoje em dia, eu comecei a valorizar mais. Porque, às vezes, uma palavra de apoio, um carinho, um abraço, pra essas pessoas, pode fazer a diferença. Às vezes, a gente está tão na correria do dia a dia que passa batido. Eu queria poder atender mais as pessoas, tentar ajudar mais. Às vezes, uns cinco minutinhos que a gente dá de atenção podem fazer diferença na vida de muita gente.

Minha intenção é encerrar minha carreira de jogador no Corinthians. Mas a gente nunca sabe, porque o futebol é muito dinâmico. Muitos jogadores têm problema quando param de jogar futebol porque não sabem o que querem fazer, esperam pra decidir isso depois. Eu pretendo trabalhar no Corinthians. Minha ambição é terminar minha carreira no Corinthians e poder ajudar. A longo prazo, penso em tentar a carreira de treinador. Mas quero me preparar para isso, de repente ser um auxiliar do sub-20 no clube ou mesmo um auxiliar comum, fazer estágio. Trabalhei só com cara fera e espero continuar trabalhando. Tu pega Mano, tu pega Tite... Então, minha intenção é ficar no Corinthians.

Não tenho aquela ambição de "ah, eu quero ir pra Europa...". A gente não sabe o que pode acontecer lá na frente, mas eu já tenho uma idade, também. Continuo tendo a ambição de ganhar, peço os relatórios pra ver como está minha temporada, quantos gols eu tomei, o que eu posso bater de recordes no ano, qual a média de gols sofridos, quantos jogos eu fiz. Tenho a ambição de chegar a novos números. Mas não quero ficar no Corinthians só porque eu consegui títulos.

Penso em jogar até os 40. Aos 38 anos eu acho que chego muito bem, a partir daí é uma questão de ver, de corpo, de cabeça, até onde eu vou estar bem. Não quero jogar por jogar. "Ah, fez muito pelo Corinthians, então vamos te dar mais um ano de contrato." Não! Eu quero por merecimento! Eu me cuido muito pra isso, acho que chego muito bem com 38 anos. Hoje eu me cuido, me alimento, tenho uma vida regrada, com tudo organizado. Tenho as pessoas que me ajudam nos meus trabalhos. Então, 40 anos é um limite que vai estar de bom tamanho, uma idade de parar legal, com cabeça boa. A parte financeira está bem organizada, tenho uma vida estável, as crianças já vão estar em uma idade boa para eu curtir um pouco elas, também. A nossa família se doa tanto pra gente, a minha esposa... Tenho o Felipe, meu filho que mora no Sul, e gostaria de vê-lo com mais frequência. Quero tirar um tempo pra minha família, pra viajar, pra dar um descanso.

Acho que existe um Cássio antes e um Cássio depois da minha conversão religiosa. Eu passei a me preocupar muito mais com o clube a partir de 2017, porque eu acho que, quando a gente quer ser exemplo, a gente tem que fazer por onde. Não dá pra ser exemplo somente com palavras, mas sim com atos, com ações. Então, minha forma de agradecer ao Corinthians, de agradecer à torcida, de agradecer a todo mundo que me ajudou até hoje é me dedicando ao máximo, dentro e fora de campo.

Lógico que eu sei que sou só um jogador, que tenho minhas obrigações. Jamais quero pular etapas, jamais vou me achar melhor que alguém. O Corinthians tem o presidente, tem o treinador, mas o que eu puder agregar, eu vou agregar; no que eu puder ajudar, eu vou ajudar, porque, falando de coração, eu sou muito grato. Eu trabalhei, me dediquei, mas foi o Corinthians que me deu oportunidade, naquele momento, de eu poder mostrar meu futebol. Deu total suporte quando eu passei por situações difíceis. Consegui prêmios individuais, títulos inéditos, mas também, quando eu caí, não estive bem, o Corinthians me ajudou. Muitas pessoas que estão lá dentro me ajudaram, me passaram confiança pra eu poder retomar e ser o Cássio que eu sou até hoje. Sou muito grato a tudo que o Corinthians me proporcionou. Tento me doar o máximo. Hoje, acho que me preocupo tanto com tudo no Corinthians que acabo, às vezes, sendo chato. Eu me cobro demais sobre certas coisas, por tentar ajudar, por tentar deixar tudo bem. É a minha forma de tentar agradecer tudo que o Corinthians fez por mim. Toda a oportunidade, o carinho, o respeito que tenho dentro do clube, pelas pessoas.

Então, só posso dizer muito obrigado. Muito obrigado ao Corinthians, muito obrigado a todos. Sou muito grato a todas as pessoas. Tenho um carinho enorme por todo mundo que trabalha lá dentro, porque a gente vê que as pessoas que estão lá fazem tudo com muito amor, com muita vontade, pra ajudar. No Corinthians, onde estiver, eu sempre vou me dedicar, porque eu, como jogador de futebol, lá no começo tinha um sonho, e consegui chegar a esse sonho. Tenho muita vontade de ser campeão, de ser melhor a cada ano. Acho que o jogador tem que ter ambição, não pode ser acomodado, e eu, como pessoa, como ser humano, como atleta, estou fazendo o que eu amo, o que eu gosto, e o que eu puder fazer para ser melhor, eu vou fazer.

Obrigado, Corinthians! Obrigado, Fiel!

O *Corinthians* É DIFERENTE *porque* A TORCIDA É DIFERENTE.

— CÁSSIO

Apêndice

JOGOS DE CÁSSIO COMO PROFISSIONAL

NA HOLANDA

(Fonte: Felipe dos Santos Souza, do Espreme a Laranja, blog sobre futebol holandês)

Pelo PSV Eindhoven-HOL

DATA	RESULTADO	ADVERSÁRIO	COMPETIÇÃO
19/07/2008	11 x 1	VV GESTEL-HOL	Amistoso*
26/07/2008	5 x 1	VAASSEN-HOL	Amistoso**
02/08/2008	1 x 1	SPORTING-POR	Amistoso
19/08/2008	4 x 0	DE TREFFERS-HOL	Amistoso
23/09/2008	3 x 0	JONG PSV-HOL***	Copa da Holanda
18/01/2009	1 x 1	RODA JC-HOL	Holandês
04/02/2009	1 x 1	SPARTA ROTTERDAM-HOL	Holandês
27/06/2009	10 x 0	RKSV DRIEL-HOL	Amistoso*
30/06/2009	10 x 0	RKSV MIERLO-HOUT-HOL	Amistoso*
04/07/2009	4 x 0	UDI '19-HOL	Amistoso**
07/07/2009	2 x 2	RKC WAALWIJK-HOL	Amistoso**
21/07/2009	1 x 0	RACING GENK-BEL	Amistoso****
25/07/2009	5 x 1	TEAM COCU-HOL	Amistoso*****
06/05/2010	1 x 1	CEARÁ-CE	Amistoso
09/05/2010	1 x 1	VITÓRIA-BA	Amistoso
10/11/2010	3 x 0	SPAKENBURG-HOL	Copa da Holanda
16/11/2010	0 x 0	METALIST-UCR	Liga Europa
26/11/2010	2 x 4	NAC BREDA-HOL	Holandês
15/05/2011	0 x 0	GRONINGEN-HOL	Holandês

*Entrou no segundo tempo. **Jogou somente o primeiro tempo. ***Time B do próprio PSV-HOL. ****Cássio substituiu o titular Andreas Isaksson aos 30 minutos do segundo tempo. *****Amistoso em homenagem ao jogador holandês Phillip Cocu, que encerrava sua carreira.

Pelo Sparta Rotterdam-HOL

DATA	RESULTADO	ADVERSÁRIO	COMPETIÇÃO
07/02/2009	1 x 0	RODA JC-HOL	Holandês
15/02/2009	0 x 0	VITESSE-HOL	Holandês
22/02/2009	1 x 2	TWENTE-HOL	Holandês
28/02/2009	1 x 3	NAC BREDA-HOL	Holandês
06/03/2009	0 x 1	WILLEM II-HOL	Holandês
14/03/2009	1 x 5	HEERENVEEN-HOL	Holandês
21/03/2009	1 x 0	HERACLES ALMELO-HOL	Holandês
04/04/2009	0 x 2	PSV EINDHOVEN-HOL	Holandês
11/04/2009	2 x 1	ADO DEN HAAG-HOL	Holandês
19/04/2009	0 x 3	VOLENDAM-HOL	Holandês
24/04/2009	0 x 0	DE GRAAFSCHAP-HOL	Holandês
03/05/2009	4 x 0	AJAX-HOL	Holandês
10/05/2009	1 x 1	NEC-HOL	Holandês

Pelo CORINTHIANS

444 jogos (214 vitórias, 135 empates e 95 derrotas)
350 gols sofridos (média de 0,78 gol sofrido por partida)
Abaixo, os 19 pênaltis que Cássio defendeu pelo Timão:

DATA	RESULTADO	ADVERSÁRIO	COMPETIÇÃO	COBRADOR
05/05/2013	0 x 0 (nos pênaltis, 4 x 3)	SÃO PAULO-SP	Paulista/Semifinal	Luís Fabiano
13/10/2013	0 x 0	SÃO PAULO-SP	Brasileiro	Rogério Ceni, 45 do 2º
14/09/2014	0 x 1	FLAMENGO-RJ	Brasileiro	Eduardo da Silva, 38 do 2º
08/03/2015	1 x 0	SÃO PAULO-SP	Paulista	Rogério Ceni, 11 do 2º
22/11/2015	6 x 1	SÃO PAULO-SP	Brasileiro	Alan Kardec, 36 do 2º
16/06/2016	0 x 1	FLUMINENSE-RJ	Brasileiro	Cícero, 17 do 2º. O cobrador fez o gol no rebote
21/01/2017	0 x 0 (nos pênaltis, 3 x 4)	SÃO PAULO-SP	Florida Cup/Final	Araruna
19/03/2017	0 x 1	FERROVIÁRIA-SP	Paulista	Alan Mineiro, 5 do 2º. O cobrador fez o gol no rebote
19/04/2017	1 x 1 (nos pênaltis, 3 x 4)	INTERNACIONAL-RS	Copa do Brasil	Leo Ortiz
25/06/2017	1 x 0	GRÊMIO-RS	Brasileiro	Luan, 39 do 2º
08/07/2017	2 x 0	PONTE PRETA-SP	Brasileiro	Lucca, 26 do 2º
28/03/2018	1 x 0 (nos pênaltis, 5 x 4)	SÃO PAULO-SP	Paulista/Semifinal	Diego Souza e Liziero
08/04/2018	1 x 0 (nos pênaltis, 4 x 3)	PALMEIRAS-SP	Paulista/Final	Dudu e Lucas Lima
27/02/2019	1 x 1 (nos pênaltis, 5 x 4)	RACING-ARG	Sul-Americana/ Primeira Fase	Dominguez e Solari
27/03/2019	1 x 1 (nos pênaltis, 4 x 3)	FERROVIÁRIA-SP	Paulista/Quartas de Final	Thiago Santos
03/11/2019	1 x 4	FLAMENGO-RJ	Brasileiro	Bruno Henrique, 45 do 1º. O cobrador fez o gol no rebote

Dados até 3 de novembro de 2019. Essa estatística pode ser atualizada on-line pelo aplicativo Almanaque do Timão.

Os títulos de Cássio

Pela Seleção Brasileira sub-20
Campeão sul-americano (2007)

Pelo Grêmio
Campeão gaúcho (2006)

Pelo PSV Eindhoven (Holanda)
Campeão holandês (2007/2008)
Supercopa da Holanda (2008/2009)

Pelo Corinthians
Campeão Mundial de Clubes (2012)
Copa Libertadores da América (2012)
Recopa Sul-Americana (2013)
Campeão brasileiro (2015 e 2017)
Campeão paulista (2013, 2017, 2018 e 2019)

Pela Seleção Brasileira
Superclássico das Américas (2012)
Copa América (2019)

12